JN035138

総合判例研究叢書

民　法 (16)

連帯債務…………………………椿　寿夫

有　斐　閣

民法・編集委員

谷口知平

有泉亨

序

フランスにおいて、自由法学の名とともに判例の研究が異常な発達を遂げているのは、その民法典が百五十余年の齢を重ねたからだといわれている。それに比較すると、わが国の諸法典は、まだ若い。最も古いものでも、六、七十年の年月を経たに過ぎない。しかし、わが国の諸法典は、いずれも、近代的法制を全く知らなかつたところに輸入されたものである。そのことを思えば、この六十年の間に極めて重要な判例の変遷があつたであろうことは、容易に想像がつく。事実、わが国の諸法典は、それに関連する判例の研究でこれを補充しなければ、その正確な意味を理解し得ないようになつている。

判例が法源であるかどうかの理論については、今日なお議論の余地があろう。しかし、実際問題として、多くの条項が判例によつてその具体的な意義を明かにされているばかりでなく、判例によつて特殊の制度が創造されている例も、決して少くはない。判例研究の重要なことについては、何人も異議のないことであろう。

判例の創造した特殊の制度の内容を明かにするためにはもちろんのこと、判例によつて明かにされた条項の意義を探るためにも、判例の総合的な研究が必要である。同一の事項についてのすべての判決を探り、取り扱われた事実の微妙な差異に注意しながら、総合的・発展的に研究するのでなければ、判例の研究は、決して終局の目的を達することはできない。そしてそれには、時間をかけた克明な努力を必要とする。

幸なことには、わが国でも、十数年来、そうした研究の必要が感じられ、優れた成果も少くないようになつた。いまや、この成果を集め、足らざるを補ない、欠けたるを充たし、全分野にわたる研究を完成すべき時期に際会している。

かようにして、われわれは、全国の学者を動員し、すでに優れた研究のできているものについては、その補訂を乞い、まだ研究の尽されていないものについては、新たに適任者にお願いして、ここに「総合判例研究叢書」を編むことにした。第一回に発表したものは、各法域に亘る重要な問題のうち、研究成果の比較的早くでき上ると予想されるものである。これに洩れた事項でさらに重要なもののあることは、われわれもよく知つている。やがて、第二回、第三回と編集を継続して、完全な総合判例法の完成を期するつもりである。ここに、編集に当つての所信を述べ、協力される諸学者に深甚の謝意を表するとともに、同学の士の援助を願う次第である。

昭和三十一年五月

編集代表
小野清一郎　宮沢俊義
末川博　我妻栄
中川善之助

凡　例

一　判例の重要なものについては、判旨、事実、上告論旨等を引用し、各件毎に一連番号を附した。

二　判例年月日、巻数、頁数等を示すには、おおむね左の略号を用いた。

大判大五・一一・八民録二二・二〇七七　（大審院判決録）
（大正五年十一月八日、大審院判決、大審院民事判決録二十二輯二〇七七頁）

大判大一四・四・二三刑集四・二六二　（大審院判例集）

最判昭二二・一二・一五刑集一・一・八〇　（最高裁判所判例集）
（昭和二十二年十二月十五日、最高裁判所判決、最高裁判所刑事判例集一巻一号八〇頁）

大判昭二・一二・六新聞二七九一・一五　（法律新聞）

大判昭三・九・二〇評論一八民法五七五　（法律評論）

大判昭四・五・二二裁判例三・刑法五五　（大審院裁判例）

福岡高判昭二六・一二・一四刑集四・一四・二一一四　（高等裁判所判例集）

大阪高判昭二八・七・四下級民集四・七・九七一　（下級裁判所民事裁判例集）

最判昭二八・二・二〇行政例集四・二・二三一　（行政事件裁判例集）

名古屋高判昭二五・五・八特一〇・七〇　（高等裁判所刑事判決特報）

東京高判昭三〇・一〇・二四東京高時報六・二・民二四九　（東京高等裁判所判決時報）

札幌高決昭二九・七・二三高裁特報一・二・七一　（高等裁判所刑事裁判特報）

前橋地決昭三〇・六・三〇労民集六・四・三八九　（労働関係民事裁判例集）

その他に、例えば次のような略語を用いた。

裁判所時報＝裁時　　家庭裁判所月報＝家裁月報

判例時報＝判時　　判例タイムズ＝判タ

目次

連帯債務　椿寿夫

連帯債務

椿寿夫

はしがき

連帯債務論は全く種々の債権法上の問題点につながる、といつたドイツ普通法学者があるが、とにかく接触分野の多いことは判例総合研究の場合にも妥当する。本叢書の項目を例にとつてみても、「連帯保証」や「債務の引受」（民法14）が本項目と密着しているのはいうまでもないが、連帯債務の成否に関しては「商事債務の連帯性」、「共同不法行為」（民法12）、「日常家事より生ずる債務の責任者」、「消費貸借の要物性」など、また連帯債務の効力に関しては「債権者取消権」（民法7）、「時効の中断」（民法8）、「時効の援用・利益の放棄」（民法8）その他少なからぬもの、がそれぞれ本項目の素材となるのである。とすれば、これら関連事項は本項目でどこまで組み入れたらよいか。このことがまず問題になるが、結局、執筆者の判断によつて選択させていただいた（たとえば商法関係で、約束手形の共同振出だけを採りあげたのも、この結果にほかならぬ）。

このほか執筆にあたつては、次の点にも注意した。(1)まず、判例の紹介においては、登載誌から判明するかぎり事実を争点に即して具体的に把握し、判例法理の意義や評釈を検討する際にも、誰が誰を相手にどういう内容のことを争つたか、という右の観点からできるだけ離れないように努めた（この点は、川島教授のお考えを参照させていただいた）。(2)次に、内容的には、連帯債務の債権強効力（＝強力な人的担保としての機能）という視角を考慮に入れて判例の評価を考えてみるとともに、種々の点で問題を含む負担部分については、少しくどいほど多角的に判例を追求してみた。

以上のような執筆者の意図が、どの程度まで結果となつて現われたかは心もとないが、ご叱正を得て将来の補完を期したい（なお引用文の傍点はすべて執筆者が附したことも、ここでお断わりしておく）。

一九六〇年九月三〇日

一　序　説

一　連帯債務の個数

連帯債務の性質いかんは、ことにその個数が単一か複数かをめぐり、かつての学説において愛好せられたテーマであつた。もちろん判例は、抽象的な個数論そのことを論ずるものではなく、実例をみても或る結論を導き出すための前提・道程としてこの問題に言及するにすぎないが、若干の事例をはじめに紹介しておこう。

判例は複数債務説に立つ。すなわち、下級審にも、「数個の債務関係」だとする古い決定（宮城控決明四二・一・二〇新聞五六五・九）のほか、第三者弁済が連帯債務者の一部の者のみの意に反する場合に、それらの者には無効だが意に反しない連帯債務者には有効だとする論拠として、「連帯債務ニ在リテハ其ノ債務者ノ数ニ応ズル数個ノ債務存シ各債務者ハ各自……独立ノ債務ヲ負担」する（【31】の原判決）という見解がみられるのであるが、大審院もこれと軌を一にしていて、商人と非商人（上告人）Xとが連帯債務を負担した場合に、Xにも利息制限法（旧）五条を適用しなかつた原判決を破棄するにあたり（なお本件は現商三条二項出現前の判例であるのに注意）、「連帯債務ハ債権者ニ対シテハ一個ノ債務ノ如ク見做サルルモ各債務者各個独立ノ債務ヲ負担スルモノ」（大判大四・五・二九民録二一・八五一）、連帯債務者の一人に対する債権譲渡通知の対抗力を承認するにあたり、「連帯債務ハ債権者ニ対シテハ一個ノ債務ノ如ク見做サルルモ各債務者ハ各自全部ノ給付ヲ内容トスル独立ノ債務ヲ負担スルモノ」（【91】参照）、連帯債務者に対する債権の分割転付を可能だとするにあたり、「連帯債務者ハ各自独立ノ債務ヲ負担スルモノナレバ」(【93】参照)と述べて、結論の論拠としている。いずれの事案においても、連帯債務の独立性・複数性に依存すれば容易に望む結論が出てくることはいうまでもない。なお、手形共同振出人の一人に対する破産債権届出に絶対的効力を認めた判決においては、「各債務ハ独立ナルガ故ニ連帯債務ハ則チ多数ノ債務ナリ」という傍論的註釈も加えられている(【25】参照)。

ところで、かような複数債務説を採っても、わが現行法のもとでは主観的共同・目的共同といった各債務の共同的結合性を認めるほうが説明の容易な場合があり、後述する判例【32】の評釈には債務単一説を採ってこそ判示は理解できるという批評もみられるが、判例中にも単一債務説を採るもの(柚木・判例債権法総論下一八頁)として引用されているケースが一つある。

事案は、上告人Xが金額二千円利率月一分五厘の消費貸借について連帯債務者となることを承諾していたのに、他の連帯債務者(＝実質上の借主)Aが二千六百円を月二分で被上告人Yから借り入れたのであるが、原審が、金銭債務は性質上可分ゆえXY間の契約も承諾した部分が分離せられて成立すると判示したのに対して、金額・利率が承諾した条件とちがえば「貸借ノ目的物ノ相違ヲ来スモノナルヲ以テ両者ハ別箇ノ債務ナリ。従テ……此別箇ノ貸借ニ付テハXニ於テ債務者タルコトノ承諾ナカリシモノニシテ、従テYトノ間ニ貸借ノ成立スベキ理由ナシ」「Xノ承諾シタル条件ハXノ債務者承諾ヲ為シタル前提条件ナルヲ以テ、該条件ニ違背シ程度ヲ踰越シタル契約ニハ承諾ナキモノト推定スベキハ当然ナリ」と上告。これを棄却した判示の根拠として単一債務説が出てくる。すなわち、

【1】「然レドモ……債務ノ目的ガ金銭ナルトキハ其債務ハ可分的ノモノナルガ故ニ、債務ハ単一ナリト

スルモ連帯債務者ノ責任ノ限度ハ債務者ニ依リ各異ルコトアリ得ベキハ当然トス。然カモ此場合ニ数箇ノ独立ノ債務成立スルニ非ズシテ債務ハ唯一ナルノミナルヲ以テ、連帯債務者ノ一人ガ他ノ債務者ノ意思ニ反シ其限度ヲ超越シタル額ノ債務ヲ負担シ以テ債務ヲ成立セシメタル場合ト雖モ、他ノ債務者ハ其責任限度内ニ於ケル債務ヲ負担スベキハ勿論トス」（大判大七・七・三民録二四・一三三八）（暐道・論叢一巻一号一二四頁）。

この【1】は、Xが数点の理由（【16】における上告理由もそれの一つ）を挙げて何とか責任を免かれようとしたのに対し、裁判所がそれを認めないという判断に達し、その一環として債務額の範囲が異なつても連帯債務の成立を妨げないと判示したものである（【1】は判示の第三点である）。この点では、全然別々の貸借となるから債務は成立しないという上告に対応するが、その場合の理由づけとして債務単一説をもち出してきたのは、原判決にその表現がなかつたのだとすれば（判例集からは不明）、別個の債務だという理解しがたい上告の表現をとらえたとみるほかはない。しかし、債務の単一性は、ふつう後述する絶対的効力事由の説明に用いられるのだから、特殊な機能をもたされた個数論であり（なお暐道評釈は、単一説をもつてしては、責任限度を異にしうる点が説明できないと評される）、かつその言葉の占める比重から考えても特に単一説を明言するものとして引くほどの重要性はないようにみえる。

二　連帯債務と連帯保証債務

連帯保証が最も実用される人的担保であることは改めていうまでもないが、連帯債務もまたその目的に用いられるものである（【19】参照）。また日常語としても、連帯と連帯保証の区別は必ずしも明確に意識されておらない。ところが、それにもかかわらず両者の法律上の取扱いには無視できぬ差異もみられる。したがつて、この「関連」「共通」と「区別」とを整理するためには、まず準備作業として二つの制度のボーダー・ライン・ケースを細かく追求しなければならない都合である。が、以下ではその一斑として次の二点に関する判例を紹介するにとどめるとともに、連帯保証事案でありながら連帯債務の事例として判示事項や著作で示されているもの（たとえば【46】【47】【56】【66】【67】【73】がそれだ）が果して適切か否かは、必要に応じておのおのの場所で批判を紹介したい。

（一）　訴訟上の問題に現われた異同　　判例には、原告が債務の連帯であることを主張し被告はこれを争う場合に連帯保証債務と認定してもよいとするにあたり、「両者は唯其の態容を異にするに止まり、各給付の内容同一……」（大判昭八・二・一五法学二・九・一二五）として親近性を述べているものもあるが、両者の異同は、裁判所の釈明に関する左の二つの破棄判例中にもっと明らかに現われている。

一つは、Y（被上告人）の債務は連帯保証だから連帯債務を原因とするX（上告人）の請求は失当だと判示した原審に対し、少なくともどちらを主張したか不明なのにと上告した事件である。

【2】「当事者ハ或ハ連帯保証債務者ヲ指シテ単ニ連帯債務者ト称スルコトモアルベク、殊ニXノ陳述ニ依レバ、其ノ陳述ニ所謂連帯債務者トハ、連帯シテ債務ヲ負担セル者ヲ指スコト明ナルモ、其ノ債務ガ主タル債務ナルカ将タ保証債務ナルカハ不明瞭ナルニ拘ラズ、原審ガ此ノ点ニ付Xニ釈明セシムルコトナクシテ直ニXノ所謂連帯債務者ハ連帯保証債務者ニ非ザルモノト解シ……タルハ違法ニシテ論旨理由アリ」（大判昭三・五・一評論一七民訴四四一）。

もう一つは、債権譲渡通知が連帯債務なら当該債務者にすれば足るが（この問題については【91】を参照）連帯保証では主債務者にしなければ連帯保証人に対抗できないので、裁判所は釈明を求むべしとする結論を出す途中で、異同が言及せられている。関係部分を引くと、

【3】「現行法ノ下ニ於ケル所謂連帯保証ナルモノハ……普通ノ保証債務ニ比シ若干其従属的性質ノ軽減

セラレタルモノヲ称スル用語ニ外ナラズ、連帯ナル文字アルノ故ヲ以テ保証債務変ジテ連帯債務ト為リタルモノト誤解セザルコトヲ要ス。夫レ爾リ連帯保証ハ取リモ直サズ保証債務ノ一態様タルニ止マリ、夫ノ連帯債務トハ固ヨリ別様ノ債務ニ属スルガ故ニ、上告人ガ第一審ニ於テハ本訴訴訟物ヲ以テ連帯債務ナリト主張居リシヲ第二審ニ至リ之ヲ連帯保証債務ト改メタルハ、債務ソノモノトシテハ全ク別異ノソレヲ主張スルモノ……」（大判昭五・八・二新聞三一六一・一〇）。

なお、これら両判決が釈明権判例中で占める位置については、村松判事が、請求原因の不備な場合のうちで、【2】は特定を欠くもの、【3】は法律要件事実の主張がないもの、として分類しておられる（同・釈明権（本叢書民訴法1）【29】【31】参照）。それはともかく、判事も指摘せられるように、一般に戦後の裁判所では釈明権そのものが非常に後退してしまっているので、連帯債務と連帯保証との異同・関係も、これら両判例のようなかたちで現われてくることはまず期待できない。

（二）　連帯保証に対する連帯債務規定の適用限度　　まず、民法四五八条に関する判例をみよう。事案は、主債務者Aの債務承認が未成年を理由として取消されAのため時効が完成した場合、連帯保証人（被上告人）はAの負担部分についてのみ免責されるかの争いである。上告は右四五八条により当然肯定されると主張したが、判例は負担部分の有無に連帯債務と連帯保証との差異を求めて否定する。

【4】「連帯保証モ亦保証ニ外ナラズ、従ツテ連帯保証人ノ義務ハ主債務者ノ義務ニ従タル関係ニアリ（即附従性ヲ有ス）、又主タル債務者ト連帯保証人トノ間ニ負担部分ナルモノハアルベカラザルナリ。然レバ……負担部分ノ存在ヲ前提トスル民法四三九条ノ適用ナシト解セザルベカラズ。蓋民法四五八条……アリト雖モ、連帯保証ガ仍保証タルノ故ヲ以テ理論上到底適用スベカラザル規定ハ之ヲ除外スルノ趣旨ナリト解スルヲ相当トスルヲ以テナリ」（大判昭一三・二・四民集一七・八七）（勝本・判民八事件、西村・民商八巻一号七三頁）。

もつとも、右判示のごとき区別標準を設けたからといつても、判例には、連帯債務者には必ずしも負担部分あるを要しないとしているものもあれば（【6】参照）、「主債務者ノ為連帯保証ヲ為シタル者ノ中、主債務者トノ関係ニ於テ若干ノ負担部分ヲ有スル場合ニ此ノ者ガ債務ノ免除ヲ受ケタルトキハ、此ノ負担部分ノ範囲ニ於テ主債務者ハ其ノ債務ヲ免ルルコトアルベク……」（大判昭四・七・一〇評論一八民法一一〇八）として、連帯保証における負担部分を認めて民法四三七条の適用を肯定したやにみえるケースも存するのであつて、判例法理は実のところ明確とはいいがたい。これは、「負担部分がある・ない」ということの意味や右昭和四年判決の検討（近藤＝柚木・註釈日本民法（債権編総則・中）一七四頁、勝本・債権総論中(1)五二三頁註二は、判示の結論を是認せられるためであろうか、本件の場合は純粋の連帯債務として取扱うべきだと評される）を通して整理さるべき問題である。さらに表題の問題ではないが、連帯債務者たる三人の主債務者のうち一人が負担部分を有しないのみならず、契約の由来からその者への求償が全く排斥せられているときには、連帯保証人が求償者であつても、民法の正条（そのケースでは民四六二条一項）を右求償に適用する判決は違法と解されているので（大判昭九・九・二七裁判例八民事二三三）、ことはますます微妙となつてくる。別項「連帯保証」においていずれも言及されるであろうから、本項では問題の簡単な提起にとどめておく（なお以下でも、個別的には両者の関係をしばしば採りあげる）。

なお、表題との関連で、連帯債務者のために連帯保証人となつた者には民法四四四条・四四五条の適用はない、とする判例も一応ここで掲げておこう。事案や争点の実体をみると、左掲判文を読むだけでは出てこない問題を含むものだが、それはともかくとして（【78】参照）、次のように説示されている。

【5】「民法四四四条ハ連帯債務者相互間ノ関係ニ付規定シ、同四四五条ハ多数連帯債務者中ノ或者ニ対シ連帯ノ免除ヲ与ヘタル債権者ト其ノ免除ヲ得ザリシ連帯債務者トノ間ノ関係ニ付規定シタルモノニシテ、

孰レモ連帯債務者ノ連帯保証人ニハ相関スル所ナキモノナルノミナラズ、民法ハ連帯債務者相互間若クハ連帯債務者ト其ノ債権者トノ間ノ事項ヲ定メタル規定ニシテ連帯保証人ニ準用スベキモノハ一々之ヲ明定シタルニ拘ラズ、前掲規定ニ付テハ斯ルコトヲ定メタル規定無キニ鑑ミルトキハ、前掲規定ハ之ヲ連帯債務者ノ連帯保証人ニハ準用セザル趣旨ナリト解スルヲ相当トス」（大判昭七・六・二五新聞三四四八・一二、新報三〇五・二一、法学二・一・一〇二）。

三　負担部分の観念

（一）　負担部分の意義

負担部分とは、連帯債務や不可分債務において各債務者が内部関係において負うべきものをさし、「債務額ノ全部ニ通ジテ存スルモノナレバ、債務額ノ一部中ニモ各自ノ負担ニ属スル部分ノ存スルハ当然ナリ」（【60】参照）として、固定的な一定額ではなく一定の割合とみられている。この負担部分は元来（というのは、わが民法での負担部分が（二）で述べるように、対外関係への影響を無視できないことを意味するが）、連帯債務者相互の決済関係にとり基準となる重要な観念である（ただし【82】【83】に注意）。若干の事例によってこのことを示すと、連帯債務者の求償権は各自の負担部分にかぎられるから（民四四二条一項参照）、連帯債務者の一人Y（被上告人）が弁済したことを主張して他の連帯債務者三名（上告人）に対し償還を求める訴を起したときには、裁判所は各自の負担部分を確定しなければYの請求を認容してならないのであつて、単にYの弁済がなされたという一事により右三名のみに平等の償還義務を負わせる判決は違法である（大判昭五・六・一七裁判例四民事六六）。同様に、連帯債務者の一人が自己の出捐金額と負担部分との差額を他の債務者に請求したときにも、負担部分を確定しない判決は理由不備の違法あるものとなるが（大判昭八・五・一七裁判例七民事一二七）、その反面、求償事件ではこの負担部分さえ決定すれば、求償当事者が連帯債務者か保証人かを確定しなくとも違法な判決でない（大判昭一一・一・三一法学五・六・一二六）とされている。

ところで連帯債務には、この負担部分のあることが連帯保証と異なるとされていることは前述したが(【4】参照)、それは一定の実数的・分数的な割合を常に要するのではなく、債務者の一人の負担部分が零であつてもかまわない。訴外Aが、取引によりすでに上告人Xに対して負担していた債務を消費貸借上の債務に変更するにあたり、被上告人Yが連帯債務者として加わつた事案において、Aの時効完成により負担部分なきYは全く免責されると原審は判示したが、Xは、負担部分がなければ連帯保証人だから連帯債務者とみた原判決は違法だと非難(上告理由第三点)。これに対し、

【6】「数人ガ連帯債務者タルガ為メニハ必ズシモ各自ニ自己ノ負担部分ヲ有スルコトヲ必要トスルモノニ非ザルヲ以テ、本件ニ付自己ノ負担部分ヲ有セザルYヲ以テ連帯債務者ナリト認メタル原判示ヲ非難スル本論旨モ理由ナシ」(大判大四・四・一九民録二一・五二四――判示第二点については【51】)。

(二)　負担部分の決定方法　負担部分がいかにして定まるかは、判例のうえではしばしば、連帯債務者の一部の者の免除・時効完成をめぐる争いにおいて問題となつている。そこで、それらにおいて解説すべき判例の詳細はここでは省略し、一般的なことがらを述べておく。

負担部分の決め方に関する最初の判例は、「連帯債務者ノ負担部分ハ、債務ニ付各債務者ノ利益ヲ受ケタル割合ニ応ジ、或ハ債務者間ノ合意ニ依テ定マルベキモノナリ」(【43】の冒頭)としたが、この見解を起点として(1)債権者の立場いかん、(2)受益割合と特約の関係いかん、また両者不明の場合はいかん、に関する判例法理が次のような展開をみせている。

まず、債権者の地位に関する判例をみると、「反対ノ立証ナキ限リハ、債権者ハ債務者間ニ均一ノ負

担部分ナリト思料ス可キハ普通ノ事ナリ」との上告に対しては、債権者が「其債務者ノ負担部分ノ割合ヲ知ラザルモ、之ガ為メニ其負担部分ニ影響ヲ及ボサザルヲ以テ……」（【44】参照）とされており、また「債務者間ニ依リ成立シタル負担部分ハ債務者相互ノ間ニ於テハ効力ヲ有スベキモ、債権者ニ対シテハ其効力ヲ及ボスベキモノニアラズ、債権者ト連帯債務者トノ間特別ノ契約ナケレバ債権者ト債務者トノ関係ニ於テハ負担部分ハ常ニ平等ノモノト見做サザルベカラズ」という上告も、負担部分は「之ヲ定ムルニ付債権者ノ意思ノ合致ヲ必要トスルモノニ非ズ」（【51】参照）として斥けられている。もっとも、最後に引用した判決の上告理由と関連して附言するならば、「数人の債務者ある場合には各債務者の負担部分は平等なるを原則とし、例外として別段の意思表示ある場合に限り之に依るべきものなること民法四二七条の規定に照して明なり」（大判昭一二・七・一六法学六・一一・七八）という一般的なかたちで負担部分平等の原則を述べる判決もあるが、これは、不平等だという主張・立証がない場合には裁判所は特約の有無を審理しなくても違法でないとする結論のための理由づけにすぎず、かつ事案も三人の連帯保証人だつたから、今の問題にとつて適切なケースではない（連帯保証における平等原則については先例もある。大判大八・一一・一三民録二五・二〇〇五参照）。

以上要するに、判例の立場では、負担部分は全く連帯債務者相互間の問題であつて、債権者がその決定に関与・介入する余地は全然ない。もとより、負担部分は連帯債務の内部関係にすぎないから、判例の見解は一見正当とみえる。だが、その負担部分が外部関係にまで広汎に影響し、かつその影響が債権内容の実現に対しマイナスに働く仕組みとなつているわが民法（ことに四三七条・四三九条）のもとでは、負担部分が内部関係だというだけの根拠で、不利を受ける債権者の地位を考慮しないことは片手落ちである。

が、この問題は負担部分の後日における変更にいたつて最も鋭く現われるので、学説側の批判も判例【8】と関連させて紹介する。

なお、右のように負担部分は債務者間の合意で決まるとしても、そこにいわゆる債務者とは連帯債務者の全員たることを要するか。判例には、連帯債務者ABC中ABが切半弁済により免責される旨を約しAがそれを履行したときには、Bは自己が遅滞した場合の遅延利息をAに求償できぬとするにあたり、「数人の債務者ある場合に、その二人が他の債務者に謀る所なく両人間の関係に於てその負担部分を協定することは為し得ざる所に非ず」（大判昭六・一〇・二四法学一・三・一二九）と述べているものがある。AB間の相対的効力に限定するかぎりでは、右の特約を禁ずべき理由はない。

では、前述(2)の問題、つまり決定の諸標準相互の順位はどう考えられているか。これに関する判例の事案は、ABおよび上告人Xが消費貸借によつて連帯債務を負担し、かつ借入金は全部X一人の利益に帰していたところ、被上告人Yが、Aの全額弁済により生じた求償権の転付を受けてXに請求した。Xの上告理由は、負担部分は契約で定まるのであつて受益の割合によるものではない、というのであり、もつて全額償還を免かれようとしたが、次のごとく棄却。なお、本判決では挙証責任の所在に言及されている点も注意されたい。

【7】「連帯債務ニ在テ其債務者間ニ於ケル各自ノ負担部分ハ、連帯債務ノ成立ニ依リ各自ノ受ケタル利益ノ割合ニ依リ定マルベク、其各自ノ受ケタル利益ノ割合ニ関係ナク特別ノ意思表示ヲ以テ各自負担ノ割合ヲ定メタルトキハ其特約ニ従フベク、其受ケタル利益ノ割合分明ナラズ且ツ特約ノ存セザル場合ニ於テハ各自平等ノ割合ヲ以テスルモノナリト解スベキモノトス。従テ特約存在セズ且ツ平等ノ割合ヲ以テ負担部分ヲ

定ムベキモノニアラズト主張スル者ハ、其各自ノ受ケタル利益ノ割合ヲ立証スベク、反之各自ノ受ケタル利益ノ割合ノ立証セラレタル場合ニ於テモ尚ホ其負担部分ノ之ニ異ナルコトヲ主張スル者ハ、特約ノ存在ヲ立証スベキ責アルハ勿論ナリ。本件ニ於テ原審ノ確定セル事実ニ依レバ……Xノ負担部分ハ借入金ノ全部ナルコト自明ナリトス。然ルニXハ第一審以来、Bノ受ケタル利益ノ有無ニ拘ハラズ同人ニ負担部分存スル旨ノ特約アル事実ヲ主張シ且ツ立証シタル形跡存セザルヲ以テ、原審ガYノ、Bニ負担部分ナシトノ主張ヲ容レ本訴請求ヲ認容シタルハ相当……」（大判大五・六・三民録二二・一一三二）。

そして右判決は、時効完成に関する事案（大判昭二・一〇・一二新聞二七七三・一五）および混同に関する事案（大判昭一一・八・七新聞四〇八八・一七、法学六・三・一一八。なおこの判決は【81】と同一事件であるが、民集には負担部分の登載なし）において、先例として引用されている。なお、同旨を述べる下級審には、借用証書における借用者氏名記載の先後をも考慮して、特約の存在を認定したケースがある（東京控判大一四・一・三一新聞二三七八・一五）。

（三）　負担部分の変更　　右述のようにして定まった負担部分は、後に債務者間の合意によりこれを変更することができるか。訴外Aが被上告人Yより借用した営業資金につき上告人Xが連帯債務者となり、弁済期前に負担部分を全部AからXに移した（事情・理由は不明）事案において、判例は問題を肯定する。ちょっと想像したところでは、債務者Xのほうが変更自由を主張し、債権者Yが当初の負担部分に固執するように受けとられやすいが、本件では、Aが商人ですでにその債務は商事時効で消滅していて（ただし現在は商法三条二項があるため、Xの債務が残ることはない）、Xは当初の負担部分のままが有利なため、まるでY側がするような上告理由を述べている。すなわち、「連帯債務ノ負担部分ハ債務成立当時ノ事情ニ依リ決定スベキモノニシテ、成立後ニ於テ債務者間ノ契約ノミニ依リ之ヲ自由ニ変更移転シ得…… ベキモノトセンカ…… 債権者ハ其ノ事実ヲ知ル事能ハザルニヨリ不測ノ損害ヲ蒙ルニイタルベシ」したがって「単ニ多数債務者ノ契約ノミニ因リ移転シタルモノト判断セル原判決ハ法律ノ適用ヲ誤レルモノ」。これは次のごとく棄却。

【8】「連帯債務者間ノ負担部分ハ元来連帯債務者間ノ内部関係ニ於テ定メラルベキモノナレバ、当初定メラレタル負担部分モ債権者ノ関与ヲ要セズ連帯債務者間ノ約定ノミニ依リ自由ニ之ガ変更ヲ為シ得ルコト疑ナク、民法四三九条ニ所謂負担部分ニ付テモ敢テ之ト異リタル解釈ヲ下スベキ理由存在セズ」そして商人Aと非商人Xの時効が別々に決せられるということは「連帯債務者間ノ合意ニ依リ負担部分ヲ変更シタル場合ニ於テモ何等差異ヲ生ズベキ筋合ノモノニ非ズ」(大判昭七・四・一五民集一一・六五六)(東・判民五三事件、片山・新報四二巻一二号一五一八頁)。

負担部分の決定に際して述べたように、債権者を全くシャット・アウトすることが問題となるのは、負担部分が外部関係にまで影響を及ぼして債権の効力を弱める場合が存するからである。とすれば、本件は債権者Yにとっていわば利益変更でありX敗訴となったから、判示は、こと本件に関しては、東・片山両評釈も指摘されるように、右の問題を生じない。ところが、逆に、Yにとっての不利益変更が無条件で(学説は、本判決が何らYへの対抗要件を要求しないものだと解する)認められるとすれば、債権者の不利益は無視できなくなる。そこで学説は「当事者間の変更自由」と「債権者への対抗」とを分けて考えているが、後者につき債権譲渡の規定(民四六七条)を類推適用する見解(我妻・債権総論二〇六頁、柚木・下三八頁、松坂・債権総論一二七頁、山中・債権総論一七九頁、津曲・債権総論上二〇二頁)は、XAからの通知では足りず必ずYの承諾が必要であるとする見解(勝本・中(1)一八三頁一八四頁註、於保・債権総論二一四頁)に比べて、債権者の利害の考慮において判例の立場に近くなる。なお、負担部分の問題を債権者から切断する判例的見解に対する反省は、負担部分一般について、債権者の認識がなければ平等と解すべきである、という学説をも生ぜしめている（東・前掲評釈、柚木・下三八頁）。

判例の負担部分＝内部関係説は、変更に関する枝だけを切つても他になお根を張つているが、判例【8】は、債権者に不利益な変更に関する事件が生じた場合、先例として引用すべきであるまい。たとえ、負担部分の決定に関する判例法理との釣合上、変更そのものは債務者の自由だとする立場を維持せざるをえないとしても、少なくとも、判例【8】がYへの対抗要件を不要であるかのごとく判示したことは、Yの利益における変更であつた事情と相対的に理解すべきであろう。

二　連帯債務の発生

一　判例における原則

（一）法規・特約なければ連帯なし　判例が連帯債務の発生を原則視するか例外視するかは、消費貸借が比較の対象となるが、民法施行の前後で正反対となつている。すなわち、施行前にあつては、数人が金銭を借入れたときには、明治八年第六三号布告により、分借の趣旨を表示しておらねば連借と推定された（大判明四〇・一〇・二一民録一三・一〇〇四。同旨、大判明二七・九・一三民録（明二七）三四二、大判明三一・一二・一民録四・一一・一）。しかし、民法が施行せらるるや判例は、消費貸借はもちろんのこと全く一般的に、債務が人数に応じて分割せられることを当然自明の原則とするにいたつた（なお、債権者複数の場合における分割原則については、たとえば大連判大三・三・一〇民録二〇・一四七、大判大七・六・二一新聞一四四四・二四参照）。つまり、フランス民法流にいえば、「連帯ハ之ヲ推定セズ」（La solidarité ne se présume point.）が、判例を支配する原則命題となつたのである。

最も早くこの理を述べたのは、隠居者と相続人との責任に関する明治三三年の判決であって、隠居した前戸主とその家督相続人とは連帯債務者になるので時効中断については連帯債務の規定を適用すべきである、という上告を棄却するにあたり、「連帯債務ナルモノハ必ズヤ当事者ノ意思若クハ法令ノ規定アルニ非ザレバ存立スベキモノニ非ズ」（大判明三三・三・三民録六・三・一四）と述べている。もっとも、この先例は、当事者の意思よりむしろ法規に関する事件であり、かつ生前相続を認めぬ現行法のもとでは生ずる問題でもない。

特約ないし当事者の意思なければ連帯なしとする典型的なケースは、次の破棄判例である。事案は上告人（控訴人）ら三名が売買代金債務を負担した場合であるが、原審が「当時当事者ノ意思ハ控訴人等三名連帯シテ代金支払ノ義務ヲ負担スルニ在リシモノニシテ、甲第一号証ノ契約書ニハ、偶連帯ノ文字明記セラレズト雖モ、ＡＢガＣト連帯シテ代金支払義務ヲ履行スベキコトヲ被控訴人ニ対シ約束シタルモノ」と認定したのに対し、「明示ノ方法ニヨリ或ハ黙示ノ方法ニヨリテ表示スルニ非ル限リハ、当事者ニ連帯責任ヲ負担シ又ハ負担セシムルノ効果ヲ発生スルコトヲ得ズ」と上告。大審院は上告を容れていわく、

【9】「契約ニ依リ連帯債務ヲ負担シタリト為スニハ、当事者ガ連帯債務ヲ負担スルノ意思ヲ明示若クハ黙示ノ方法ニテ表示スルヲ要シ、其表示ナキニ之ヲ推定スルヲ得ザルハ、数人ノ債務者アル場合ニ別段ノ意思表示ナキトキハ各債務者平等ノ割合ヲ以テ義務ヲ負フベキ民法四二七条ノ規定ノ反面解釈上明ナル所ナリ。然ルニ原判決ニ上告人等ヲ以テ連帯債務者ナリト判定シタル所ヲ見ルニ、連帯債務ヲ負担スル意思表示ノ存スル所ヲ示サズ単ニ或事情ヨリ其意思ヲ忖度シテ連帯負担ヲ約シタルモノト推定シタルニ過ギザレバ、原判

決ハ此点ニ於テ不法ニ事実ヲ確定シタルノ瑕瑾アルモノトス」(大判大四・九・二一(大四オ九六号)民録二一・一四八六)。

右の理は、証拠によらざる事実確定として原判決を破棄差戻すにあたつても、金銭債務一般というかたちで承継された(なお連帯の認定と採証法則違反については、たとえば、大判昭一〇・九・一四裁判例九民事二三〇)。すなわち、

【10】「金銭債務ハ特別ノ意思表示アラザルトキハ数人ノ債務者ニ於テ各自平等シテ責任ヲ負フモノナルヲ以テ、金銭債務ニ付キ債務者ノ連帯責任ヲ認メントスルニハ法律ノ規定又ハ其旨ノ意思表示アリタルコトヲ確定スルコトヲ必要トス。然ルニ本件ニ於テハ被上告人ヨリ上告人等ニ株式譲渡契約ニ基キ交付シタル代金ヲ、合意ニ因ル契約解除ニ基キ返還ヲ求ムルニ在ルコトハ原判決ノ記載ニ依リ明カニシテ、原判決ハ上告人等ニ右返還債務ニ付キ連帯債務ヲ認メタリト雖モ……本件債務ヲ連帯債務ナリトスルニハ乙第一〇号証(契約書のごとし―筆者註)以外ニ他ニ連帯債務ヲ負担スル特別ノ意思表示アリタルコトヲ確定セザルベカラザルニ、原審ガ乙第一〇号証ノ文詞及同証ノ契約ノ性質ヨリ本件返還債務ニ付上告人ガ連帯責任ヲ負担スルガ如ク判示シタルハ、証拠ニ依ラズシテ不当ニ事実ヲ確定シタル不法アルモノ……」(大判大一〇・四・六新聞一八四五・二〇)。

下級審も一般にこれと基調を同じくしていて、たとえば、委託による事務処理に対する報酬契約について、「多数債務者の債務にして特に連帯特約あるか其性質上全部の債務を負担すべきものに非ざる限りは、其債務は平等に分担せざるべからざるものとす」(東京控判明四五・一・一九新聞七七五・二二)、また、被控訴人二名が他人の権利を売却したため契約が解除せられた場合の代金返還義務について、「連帯義務ハ法律ノ規定又ハ当事者ノ特約ニヨルニ非ザレバ之ナキモノナルニ拘ラズ、控訴人ノ立証ニ依リテハ何等連帯ノ特約アリタル事実ヲ認メ難ク、又商事債務ナリトノ主張及立証ナキガ故ニ法規ニ依リテ連帯債務アリトモ認メ難」し(宮城控判昭四・三・一二評論一八民法五九〇)、というように説示されている。

かような判例法理を背景とする具体的事例およびそれの判決への反映は、次に改めて紹介するが（なお後出【104】も、分割原則を内包し前提にするといいえぬではない）、判例が分割原則を自明視している根拠は、民法四二七条が「多数当事者ノ債権」における総則規定である点のようである。

ところで、学説はこの判例法理をどうみているか。法律関係の簡素化という観点からそれに賛成する見解（津曲・上一九六頁）もないではない。また、判例の前提となる民法典の分割原則を、当事者の意思からみて立法論として疑う見解（勝本・中(1)四頁、同・債権法概論（総論）二三二頁）もあるが、一般の見解はすすんで解釈上も分割原則に合理的な制限を課そうとし、当事者が総債務者の資力を総合的に考慮したという特別の事情があるときには、黙示の連帯特約を認めるか連帯の推定をなすべきだと主張している。その論拠は、民法典（そしてまた判例）の立場が、個人主義的にすぎて債権の実効性を弱め取引の実際に合わない、という点に求められている（我妻・債総一八八頁、柚木・下二二頁、松坂・債総一一八頁など参照）。実際わが民法には「連帯ハ之ヲ推定セズ」式の推定禁止規定もないのだから（なお於保・債総二〇三頁参照）、通説の立場は技術的にも不可能でない。

ただし、このことは、判例自身がその強固に築きあげた立場を改めるかどうかとは別問題である。近時、契約連帯の発生につき判示した例はほとんどみあたらないけれど、戦後の下級審には、連名借金につき黙示の連帯特約を認定したケースがある（大阪地判昭二五・九・二七下級民集一・九・一五五二）。しかしながら、この事案の連名者は夫婦（＝緊密な生活共同者）だつたから、これをもつて契約連帯一般の新動向と速断することは許されない。ただ、この判決によつて、連帯の否定が妥当でないにかかわらず従来の判例法理からみて連帯推定にまでは安心して踏み切れない場合、擬制的だがとにかく冒険とはならぬ解決策——従来も間々用いられた黙示の意思表示による連帯の発生――が示唆せられておる。

（二）　原則の具体例　　それでは次に、右の原則が判示の前提となつている若干のケースに移ろう。それらのうち、特にここで問題とすべきは、共同購入による債務負担および組合員の債務負担である。なお、共同賃借の場合における賃料債務は、可分給付ゆえ判例的論法からすれば分割原則の枠内に属するはずだが、判例・通説とも不可分債務と解している（椿・多数当事者の債権関係（民法演習Ⅲ）一〇四頁～一〇五頁参照）。

まず、共同購入の場合における代金支払義務について。判例【9】がこの事案に関し真向から分割原則を定立したものであることは前にみたとおりであるが、ほかにも分割原則に立つて判示した破棄判例がある。事案は次のようである。原審が「被控訴人両名ガ……物品ヲ買受ケ……債務ヲ有スルニ至リタルコトハ被控訴人等ノ認メテ争ハザル処」として連帯支払を命じたのに対し、「然共、此ノ理由ノミヲ以テシテハ上告人等ハ当然分割ノ利益ヲ享有スベキモノニシテ、漫然連帯ノ責任ヲ認メタルハ違法ナリ」と上告。登載誌は「売買代金支払債務ガ連帯債務ナルコトヲ認定スルニハ其ノ根拠ヲ説明セザル可ラズ、単ニ債務者ガ共同シテ買受ケ代金支払債務ヲ有スルコトヲ認メタルノミニテハ尚足ラザルモノトス」と巧みに要旨を作つているが、判示の関係部分は次のとおりである。

【11】「原判決ハ上告人等ニ対シ連帯責任ヲ負ハシメタル根拠ヲ示ストコロナキガ故ニ、此ノ点ニ於テ原判決ハ破棄スベク、本件上告ハ理由アルヲ以テ……」（大判昭二・八・三裁判例二民事一三六）。

次は、民法上の組合の組合員（上告人）Xが被上告人Yから金物を購入した場合、その債務を連帯債務と推定することは違法だとする破棄判例である。原審が商法（旧）二六三条一号によりXが他の組合員と連帯債務を負うと判示したのに対し、買主は団体としての組合であるのに組合員個人としたのは不法と上告。本判決は、原審が「組合ヲ通ジテ」購入したといつた言葉を「個人トシテ組合ノ仲介ニ因リ」との趣旨に解して、左のごとく判示。

【12】「果シテ然ラバXガ他ノ組合員ト共ニ各其ノ資格ヲ離レ個人トシテYヨリ本件金物類ヲ買入レタル行為ニ基ク債務ヲ連帯債務ト為スニハ、須クX等ノ行為ハ商行為ナルコトヲ説明セザル可ラズ。然ルニ原審ハ……他ノ一面ニ於テXハ他ノ組合員ト共ニ組合員タル資格ニ於テ本件金物類ヲYカラ買受ケタルコト即組合ガ買受ケタルモノノ如ク認定シ、該購入行為ハ商法（旧）二六三条一号ニ所謂動産ノ有償取得ニ該当スルモノト解シ同組合員全員ノ為ニ商行為ナリトシ、従テ之ニヨリ生ジタル本訴債務ハ同組合員全員ノ連帯負担タルベキモノト判断シタルハ、判決ノ理由前後相牴触スルカ又ハ理由不備ノ違法アルモノ」（大判昭六・一〇・三〇裁判例五民事二三二）。

なお、借主が組合員か組合かの争いに関しては、被上告人個人に貸付けたものでないから同人に対する請求は失当だとした原判決を破棄するにあたり、被上告人が組合の一員たる以上貸主（上告人）は「他ニ特殊事情ナキ限リ民法六七五条ニ依リ少クトモ被上告人其ノ他ノ各組合員ニ対シ、組合員間ノ損失分担ノ割合若ハ各自平等ノ割合ニ依リ本件貸付金ノ返還請求権ヲ有スルモノ」（大判昭一〇・八・五裁判例九民事二二一）と述べる判決がある。右引用は上告人に請求権があるではないかというための傍論だが、組合員の債務もまた当然に分割されるものだとする判例的見解を内包すると思われる。

（三）　分割原則と割合を示さぬ判決　債務の連帯弁済を求める訴訟について判決をするにあたつて、裁判所が「其債務ノ連帯ニアラズシテ分担ナルコトヲ認定シタルトキハ、其請求ノ一部即チ分担ニ属スル部分ハ相当ト謂ハザルヲ得ザルヲ以テ、其請求ノ全部ヲ排斥セズシテ分割弁済ヲ命ズベキハ当然ナリ」（大判明三八・三・八民録一一・三三二）というのが判例であるが、その分割弁済は主文において割合を示さなければならぬかどうか。これについて判例は、平等分割の原則を援用して、数人の債務者に対し単に「金何円を支払え」と主文で命ずることも何ら違法でないとみる（したがってまた、理由では連帯債務を認定しながら主文が本文のかたちを採るのは違法な判決となる。【107】）。左記二例とも棄却判決であって、全く同じ問題について判示している。

【13】「凡ソ数人ノ債務者アル場合ニ於テ別段ノ意思表示ナキトキハ、各債務者ハ平等ノ割合ヲ以テ其債務ヲ負担シタルモノト推定スベキモノニシテ、而シテ此法則ハ裁判所ガ数人ノ債務者ニ対シ或ル金額ノ支払ヲ命ジタル場合ニ於テモ亦等シク之ガ適用ヲ受クベキハ言ヲ俟タズシテ明カナリ。是以テ原判決ガ被控訴人等（上告人）ハ金二百八十円ヲ控訴人ニ支払フベシト言渡シタル以上ハ、上告人両名ハ之ヲ分割シ各自百四十円ヲ支払フベキモノナルコトハ判文上自ラ明カナルモノト云ハザル可カラズ」（大判明三八・一〇・五民録一一・一三〇五）。

【14】「多数当事者ノ債権債務ハ平分ヲ原則トスルコト民法ノ規定スルトコロナリ。各自全額ニ対シテ其ノ責ヲ負フト云フ趣旨ノ毫モ見ル可キモノ無キ原判決主文ノ意味ノ何処ニ存スルヤハマタ疑ヲ容ル可カラズ」（大判昭三・一〇・三一新聞二九二二・九）。

二　消費貸借と関連する成否の諸問題

（一）　消費貸借の要物性と連帯債務

すでに明治三九年には、訴外五人が被上告人に対して負う手形債務を消費貸借へ更改するにあたり上告人が連帯債務者となる旨を約した事案において、金銭の授受がないから消費貸借は成立しないとの上告に対し、授受がなくとも右特約により上告人の債務は有効に成立するとした判決が存する（大判明三九・一〇・一五民録一二・一三六二）。だが、これは、なぜ特約が要物性を排斥するかについての十分な説示ではなかつた。かくてか、この問題については、「連帯債務の場合に於ては債務者の一人に対する金銭の授受あるに依り総債務者の為有効に消費貸借の成立すべきことは夙に当院の判例」(大判昭一二・一二・三法学七・三・一二五)とする判示の先例とされたのは、左掲【15】となつている。

その事案はこうである。被上告人Yに対しすでに債務を負つていた訴外Aが、さらにYから八百余円を借りて計三千五百円の債務とし、その借用証書上に上告人Xが履行を確保する意味で連帯債務者となり抵当権を設定した。原審が全額についてXの連帯債務を成立させたのに対し、Xは、消費貸借の要物性をもち出して、本件の場合目的物の授受は必ず数人共同して行なわれねばならないと上告。

【15】「然レドモ、消費貸借上ノ債務ニ付他人ガ添加的債務引受ヲ為シ該借主ト相並デ連帯債務ヲ負担スルコトハ法律上固ヨリ有効ニシテ、斯ル場合ニハ消費貸借ノ成立要件タル目的物ノ授受ハ貸主及借主間ニ於テ行ハルベキモノナルコト自明ノ理ナリトス。原判決ニ『……AトY先代間ニ本件連帯債務ノ基本タル三千五百円ノ消費貸借成立セリト認ムベキ（中略）以上、Xモ亦三千五百円全額ニ付テ連帯債務ヲ負担シ……』ト云フハ、蓋シ冒頭説明ノ如キ態様ニ於テ本件連帯債務ノ成立シタル所以ヲ……判示シタルニ外ナラズ」(大判昭九・六・三〇民集一三・一一九七)(有泉・判民九〇事件、末川・民商一巻二号二九二頁)。

末川・有泉両評釈とも判示に賛成されるが、併存的債務引受が原債務の成立と同時になされうる以上(なお、四宮・債務の引受(本叢書民法14)五一頁は、本判決をそれの事例とされる)、一般にも異論のないところと思われる(なお併存的債務引受による連帯の発生については後出【21】)。

（二）　連帯債務の負担と要素の錯誤

およそ消費貸借にあたつて連帯債務者となる者からすれば、誰が債権者かは無視できないことがらであり(【16】参照)、他にも連帯債務者があつたり債務者が担保を供与していたりする場合には引受けやすくなる(【17】参照)。逆に、債権者の側からみると、確実な債務者が一人でも多いほど追求できる責任財産の数量も増大するので、財布の紐をゆるめやすくなる(【18】参照)。かくて、いずれの場合においても、予期を裏切られると錯誤だと主張したくなるわけであるが、判例のうえでは、一般に錯誤を通じていえるように、右の諸場合においても無効の主張はどちらかといえば制限されている。

まず、債権者の「人」については、大審院の判例は、原則として法律行為の要素にならないと解している。その一つは、「連帯債務者ノ一人ガ唯其意中ニ於テ他ノ債務者ノ言ヲ信ジ、貸主トナルベキ人ノ性格営業等ニ重キヲ措キテ」連帯債務負担を承諾したところ、他の債務者が金貸業者で悪名高い詐欺師から借入れた事案であるが、要素の錯誤にならないとして原判決が破棄されている(大判明四二・一二・二四民録一五・一〇〇八)、もう一つは、前出【1】の第二点で、上告人Xは貸主が市役所吏員と思い連帯債務者になったところ、実質上の借主たる共同債務者Aが金貸(被上告人)Yから借金したので、「此場合ニ於テモ尚承諾スルノ意思ナリシ事実ヲ挙証セザルベカラズ。若シ此挙証ナキニ於テハ指示セラレタル人ヲ債権者ト為スヲ条件トシテ連帯債務ヲ承諾シタルモノト解スベキモノナリ。然ルニ原判決ハXガ其吏員以外ノ者ニ対シテハ債務ヲ負担セザル趣旨タルコトノ挙証ヲ為サザルヲ以テYヲ貸主ト為スヲ承諾シタルモノト推測セラレタルハ挙証ノ責任ヲ転倒」していると上告。

【16】「貸主ノ為人如何ガ法律行為当事者ガ其法律行為ヲ為スニ付キ重要ナル関係アリテ時ニ債権者其人ガ法律行為ノ要素ト為リ得ル場合アリトスルモ、本件ニ於テハ其債権者ノ何人ナルヤハ貸借ノ成立ニ影響ヲ及ボスベキモノニ非ザルヲ以テ原判決ガ法律行為ノ要素ニ錯誤ナシトセルハ正当ニシテ、金銭貸借ニ於テ連帯人ガ特定ノ債権者タルベカリシ者以外ノ者トノ間ニハ貸借ヲ為スノ意思ナク連帯責任ヲ負ハザル趣旨ノ下

ニ法律行為アリト為スハ、其特段ナル意思表示ヲ缺テ始メテ之ヲ認容シ得ベキモノナルヲ以テ、債権者ハ如何ヲ法律行為ノ要素ト為シタリト主張スル者ニ於テ之ガ事実ヲ立証セザルベカラザルモノナレバ、原判決ハ何等挙証ノ責任ヲ転倒シタルモノニ非ズ」（大判大七・七・三民録二四・一三三八）。

なお、Xはこのように敗訴したけれども、元金については判例【1】でみたように自己の承諾した範囲内に縮減され、また判示第四点で利息は制限内に引きなおされたので、貸主が借主の全く予定しなかつた高利貸であつても責任を負えとした判例【16】は、一見乱暴なようでも本件については決して不当でない。

次に、他に人的ないし物的担保があると思つて消費貸借上の債務につき連帯債務者になつたところが実は担保設定がなかつた場合、判例は、さような担保の存在を連帯承諾の条件としたか否かで、要素の錯誤になる・ならないを決している。なるとした事案は共同債務者といつているが（大判大三・五・二七新聞九四六・三〇）、要素の錯誤にならないとした【17】は明らかに連帯債務者となつた場合の事案である。もつとも、これも登載が左に掲げるだけなので、詳細はわからない。

【17】「上告人は訴外甲の本件債務に付連帯債務負担の意思表示を為したるものなるを以て、其の他に該債務を負担する者の存することを特に条件と為さざる限り、他に債務者ありや否やは所論の如く法律行為の内容に関するものなりと謂ふこと能はず」（大判昭七・七・五法学二・二・一〇六）。

最後は、債権者側からの無効主張と思われる（登載誌からは全然不明）棄却判決である。すなわち、

【18】「金銭消費貸借ノ連帯債務者中ノ一人又ハ数人ノ債務ガ成立セズ有資力者ナリト信ジタル債務者ガ斯ル資力ヲ有セズ又物的担保ノ設定ガ無効ナリシ場合ニ於テハ、債権者ハ素ヨリ其予期ニ反スルトコロ多キ

ヲ常トスベキモ、他ニ尚連帯債務者ノ存スルニ於テハ債権者ハ該債務者ニ対シ債務ノ履行ヲ求ムルノ挙ニ出ヅベキハ正常ノ手段ナルガ故ニ、冒頭説示ノ事情ヲ以テ消費貸借契約ノ要素ヲ為シ該契約ノ無効ヲ来スモノナリト解スルハ妥当ナラズ。之ニ反スル見解ニ立脚シテ原判決ヲ非難スル論旨ハ執レモ理由ナシ」（大判昭一三・五・九評論二九民法一三七）。

（三）　連帯債務の成否と借用証書　一般に契約書は実体法の側からみれば、挙証のための有力だが一つの手段にすぎない。しかし、消費貸借にあつては、借用証書の有無・形式・内容なかんずく記名捺印をめぐつて、契約の成否を賭けた争いが相当あり、事項によつては判例として事実上結晶したのではないかと思われる場合すらある（ただし民録・民集への登載は必ずしも多くないが）。それゆえ、借用証書と関連させて連帯債務の成否をみようとするときには、実はこれら消費貸借プロパーの判例法理の一環として取扱うのが適切だが、主題の事例――連帯文言の記載ないし記名捺印に関する――に限定せざるをえない（なお借用証の記載が負担部分の認定にも意味をもつことについては大判年月日不明、新聞二五五一・三参照）。

まず、下級審の見解によれば、証書に単に連印しただけでは連帯債務の発生はこれを認めがたく（東京地判大八・一二・一五評論九民法三二五）、また証書に連帯の記載がなければ、抵当権を共同に設定した一事のみをもつてしては連帯債務ありということができない（東京地判大一四・二・二六新聞二五四一・一六）。これらは前述した「連帯不推定の原則」の反射ともみることができよう。このほか、他人の債務を保証する趣旨で連帯債務者になることを承諾した者が、みずからは借用証書に署名捺印せず記名・印章作成を委託するようなことは「通常アリ得ベカラザル事実ニシテ経験則上之ヲ首肯シ難」いとする事例もある（東京控判昭一三・一二・一三新報五三一・二一）。

では、連帯債務者として証書に記載のある場合はどうか。大審院判例は二つともこのケースである。

第一の事例は、前にちよつと言及したように、連帯債務と連帯保証の親近性・共通性を説いたものであるが、それは、連借記載があれば内実は主債務者・連帯保証人の関係であつても連帯債務を生ずる、と帰結するためだつたのである。すなわち、

【19】「他人の金借に付人的担保を為す方法は必ずしも保証契約を締結する一途に限るものにあらず、真実の借主と連帯債務を負担することに依りても亦同一の目的を達するを得べし。従て借用証書に数人が連帯債務者として連署したる事実あるに於ては、仮令其の一人が真の借主にして其他は之を保証する意図を以て連署せること明なる場合と雖、之を以て直に他の者は連帯保証を為したるものと認むるを得ず、斯る場合は寧ろ他に特別の事情の認むべきものなき限り、当事者は真実の借主以外の者に於て連帯債務を負担する方法に依り債権担保の目的を達せんとしたるものと解するを相当とす」（大判昭一二・一・一 法学七・三・一〇三）。

第二の事例は、貸主（被上告人）Yが債務者（上告人）Xの氏名の上部に「連帯」という文字をみずから記入しXらに署名させた場合にXが連帯負担を争うときには、記入後に署名させたと主張しただけでは連帯債務は発生しない、とする破棄判例である（登載誌に上告理由の掲示はない）。

【20】「原審に於てYは本訴請求の原因としてX外二名に連帯の約にて金員を貸与したりと主張し、尚ほ其貸借証書たる甲第一号証は其表題及びX氏名の上に連帯の文字をY自ら記入したる後X等に各自署名せしめたる者なりと陳述し、之に対しXは本件貸金に付連帯債務を約したることなしと抗弁し、甲第一号証中右連帯の文字の記載を否認したること記録上明白なり。然れば本訴貸金に付Xが連帯債務を負担したる事実の立証責任は其事実を主張して本訴請求を為したるYに在ること論を俟ざる所なれば、其貸借証書たる甲第一号証にYの自ら記入したる連帯の文字あるも其記入に付きXの承諾ありたることはXの否認したる所なればYに於て之が立証の責に任ずべきものと謂はざるを得ず。故にYが同証書に自ら連帯の文字を記入したる後

X等に署名せしめたりと主張したればとて、此一事を以て之を認めざるXに連帯債務あるの事実は未だ立証せられたる者と為すに足らず。然るに原裁判所が……立証の責任をXに帰せしめたるは違法たるを免かれず」（大判大四・一二・二一新聞一〇八六・二〇）。

その後の消費貸借一般に関する判例では、借用証書は名義人の意思に基づく以上は氏名を他人が記入しても真正に成立する（大判昭一六・一二・一三法学一一・七・九六）、貸主が成立の真正を立証できる借用証書を提出したときは、消費貸借の成立に関する立証責任は尽される（大判昭四・五・二〇新聞三〇二〇・一六）とした例があるが、判例【20】は、そこまで立ち入つたものでなく一般論の段階で判示したもののようである。ただし、右二判例にあてはめて考えてみても、本件はいわゆる真正性が疑われる場合に属するであろう。なお、連帯借用人としての記名捺印を当該借用人が全く関知しなかつたと主張しても、諸種の事情から捺印をすることに暗黙の承諾をしていたものと認定された事例が下級審に存する（東京控判大一一・一〇・二八新聞二一六〇・一八）。

三　その他成否が問題となる場合

ここでは、いくつか問題となる場合のうちで、判例が連帯（＝いわゆる真正の）とし、学説は主として対外的効力に関する反省から必ずしもそう解さない場合を三つ採りあげる。取扱い方は全く連帯債務の成否という観点からであつて、それぞれの場合に固有の関連問題に深くは立ち入らぬことはいうまでもない。

（一）　併存的債務引受人と原債務者　　判例は、併存的（＝重畳的）債務引受の効果として、引受人・原債務者間に連帯債務関係が生ずると解している。すなわち、前掲【15】もそれを前提とするが、次に掲げるリーディング・ケース【21】は、重畳的債務引受は必ずしも連帯責任をともなうものではない、また債務引受という言葉は保証なり債務者の交替による更改なりを意味することもある、として原審の事実認定および釈明の不備であつた点を攻撃する上告を棄却していわく、

【21】「債務ノ引受ニアリテハ引受人ハ従来ノ債務関係ニ入リテ原債務其ノモノヲ負担スルモノナルガ故ニ、原債務者ヲシテ其ノ債務ヲ免レシメザル債務引受即チ重畳的（若クハ附加的）債務引受アリタル場合ニ於テハ、爾後原債務者ト引受人トハ何レモ同一原因ノ而モ同一給付ヲ目的トスル債務ヲ負担シ、両者ノ内一人ノ弁済ニ因リテ両者共其ノ債務ヲ免ルベキ関係ニ立ツモノト謂フベク、斯ル関係ハ当初ヨリ数人ガ同一原因ニ基ク同一ノ給付ヲ目的トスル連帯債務ヲ負担シタル場合ト異ナルコトナキガ故ニ、重畳的債務引受アリタルトキハ爾後原債務者ト引受人トハ連帯債務ヲ負担スルモノト解スルヲ相当トス」「……債務ヲ重畳的ニ引受タリトノ被上告人ノ主張ハ……保証債務ヲ負担シ若クハ債務者ノ交替ニ因ル更改ニ因リ新債務ヲ負担シタリトノ趣旨ニ解シ得ベカラザルガ故ニ、原審ガ右債務引受ノ主張ニ付更ニ釈明ヲ求メザルヲ不法ト為スべきではない（大判昭一一・四・一五民集一五・七八一――四宮・前掲債務の引受【44】）（有泉・判民五〇事件、勝本・民商四巻五号一〇一八頁）。

大審院判例が連帯債務という表現を用いるときには、それはもつぱら真正連帯を意味しているとみられるのであるが、併存的債務引受についてもこれは妥当する。この【21】では連帯の意義は争点となつておらなかつたけれども、それを先例として引く後日の判決が、「民法四三九条ニ依リ債務者ノ為ニ時効が完成シタルトキハ、其ノ債務者ノ負担部分ニ付テハ引受人モ亦其ノ義務ヲ免ルニ至ルベク……」（大判昭一四・八・二四新聞四四六七・九――四宮・前掲債務の引受【45】）と判示しているところからも、容易に推論できよう。

ところが、学説は、併存的債務引受によつて連帯債務を生ずるとする判例法理には批判的であり、現時の有力説によると、原債務者と引受人との間（もつとも、勝本評釈にあつては、そのほかに債務者との間）に意思連絡ないし主観的共同

の関係が存すれば、判例のいうように連帯債務関係を生ずるが、そうでなければ不真正連帯などの関係を生ずる、と解されている（詳しくは四宮・前掲書五七頁以下参照）。なぜそのようにみなければならないのかについては、原債務者の知らない間に引受人となつた者に対して債権者が請求したときにも原債務者について時効中断の効果を生ずるとしては困難に出あう（有泉評釈。実例にもこれはある。四宮・前掲書【46】参照）、原債務者の委託がなくまたその意思に反する場合に連帯債務における広汎な絶対的効力事由を認めるのは不都合である（四宮・前掲書五八頁）、原債務者の連帯同意があれば連帯債務を生ずる（於保・債総三〇四頁）という説明からうかがえるように、原債務者の関知ないし意思に対する配慮からであると思われる（なお、【21】の有泉評釈が判示に賛成される場合、本件では債務者間に委任その他の意思共通が存する事案だろうという前提条件がついている点に注意）。この配慮は、判例（四宮・前掲書【27】参照）が他方において、併存的債務引受は原債務者の意思に反するときでも有効に成立すると解しているから、もとより必要である。ただ、配慮の動機が、原債務者の立場の尊重に基づくのか、主観的共同という連帯債務の性質論からの演繹にすぎないかによつて、なお論ずべき点も若干あるが、とにかく連帯債務の発生する場合を狭めることになる。

なお、この【21】でも問題になつていることだが、債務者が新たに加入した場合、それが更改の効力を生ずるか否かについては、後に改めて判例を紹介する（【85】【84】）。

（二）　共同不法行為者　判例は、彼らをも真正連帯債務者とみている。すなわち、

【22】「民法第三編第一章債権ノ総則ハ各種ノ債権ニ通ズル一般ノ法則ヲ規定シタルモノナレバ、不法行為ニ因リテ生ジタル債権ト雖モ特ニ反対ノ規定ナキニ於テハ、其性質ノ許ス限リ之ヲ適用スベキモノトス。……而シテ共同不法行為ニ因リ連帯債務ヲ負担スル数人中其一人ニ対スル債務免除ノ効力ニ関シテハ、不法行為ニ特別ナル規定存スルコトナク、且性質上民法四三七条ノ適用ヲ許サザルモノニ非ザルヲ以テ、原院ガ本

件ノ場合ニ之ヲ適用シタルハ違法ニ非ズ」（大判大三・一〇・二九民録二〇・八三四——椿・共同不法行為（本叢書民法12）【57】）。

これに対し現時の学説では、共同不法行為者の一人に生じた事由（この場合には、併存的債務引受において債権変更原因が主として問題になったのと異なり、債権消滅原因が想定されている）に絶対的効力を認めることは、それの認められない全額単独責任（判例上明確に現われた事例は使用者と被用者の関係である。後出【99】照参）との釣合上、被害者の意思に反し彼の保護も薄くなるとして、絶対的効力事由の認められない責任形態——つまり不真正連帯債務——になると解する見解が多い（詳しくは椿・前掲共同不法行為一六三頁以下）。したがってこの学説からすれば、共同不法行為は、連帯債務の発生原因から全面的に除斥されることになる。

（三）　約束手形の共同振出人　大審院判例は一貫して約手の共同振出人をもって連帯債務者とみており、手形法施行（昭和九年一月一日）後もこの基本的立場に変更はなかった（ただし後述するように、昭一二地裁判決は実質的には連帯債務であるがゆえの効果を回避し、昭三四高裁判決は右の立場を全く放棄する）。問題となった事案は連帯支払を命じた判決そのものが争われた【26】を除いては、連帯債務にあって絶対的効力を生ずるとされている規定が手形関係にも適用されるか否かについてである（なお後出【83】も、約手共同振出人を連帯債務者だとする前提に立っている）。以下、年代順にその内容をみていこう。

最初の判例は、共同振出人（上告人）の一人に手形を呈示したが支払を拒絶された場合、裏書人に遡求できるか否かに関する事件であって、その争点は、民法四三四条適用の可否ひいては連帯債務の成否に存する。上告理由は、彼らが連帯債務者でなく、仮に「連帯債務者ナリトスルモ、裏書人の償還義務ハ振出人ガ支払ノ為メニ手形ノ呈示ヲ受ケ之レヲ拒ミタル場合ニ生ズルモノナルヲ以テ、各振出人ガ其呈示ヲ受ケザルベカラズ」、民法四三四条があっても「是レ単ニ連帯債務者間ニ履行請求ノ効力ヲ生ズルニ止マリ、裏書人ノ償還義務ニ関シテハ其効力ヲ生ズベキ規定ナシ」、それゆえ右償還義務に対してまでさような効力を及ぼした原審は法則の不当適用だと主張。

【23】「然レドモ、手形ニ関スル行為ガ商行為タルコトハ商法二六三条（現五〇一条）ノ明定スル所ナレバ、本件ノ手形振出人タル上告人二人ノ行為ガ同法二七三条（現五一一条）ノ適用ヲ受クベキモノニシテ其連帯債務者タルコト明カナレバ、民法四三四条ニ依リ其振出人ノ一人ニ為シタル手形ノ呈示ハ二人ニ対シテ有効ナルコト勿論……」（大判明三七・一二・六民録一〇・一五五七）。

次の事例は、共同振出人A（訴外）およびY（被上告人）が存する場合において手形の所持人がAと手形書換をしたときには、Yは旧手形を取得したX（上告人）に対し右旧手形上の債務の消滅を主張できるか、についてである。Xは、YAが連帯債務者でなく各自手形につき全額責任を負うにすぎないこと、および、いったん振出された約手は振出人の手に復帰しないかぎり有効たり続けることを挙げて、「原判決ガ単ニ共同振出人ノ一人ニ発生シタル事実ノミニ依リ、尚ホ手形ガ流通ニ置カレツツアルニモ拘ハラズ、全然其効力ヲ失シタルモノノ如ク判決シタ」のは不法と上告。大審院はこれを斥けていわく、

【24】「手形ノ共同振出行為ハ振出人総員ノ為メ商行為ニシテ約束手形ノ共同振出人ガ其手形ニ付キ連帯債務ヲ負担スベキコトハ商法二七三条一項ニ依リテ明ナリ。而シテ共同振出人ノ一人ト受取人トノ間ニ手形ノ書換ニ因リテ更改ノ行ハレタルトキハ其更改ハ民法四三五条ニ依リ連帯総債務者ノ利益ノ為メ効力ヲ生ズルヲ以テ、旧手形債務ハ他ノ共同振出人ニ対シテモ消滅スベク、其事由タルヤ共同振出人ノ何人ヨリモ更改ノ当事者ニ対抗シ得ベキハ勿論、満期日後其当事者ヨリ旧手形ヲ取得シタル所持人ニ直接ニ対抗シ得ベキモノナレバ、旧手形ガ其振出人ノ手裡ニ復帰セザル限リハ其手形ヲ有効ナリト論ズルコトヲ得ズ」（大判大五・一二・六民録二二・二三七四）。

この【24】の、共同振出人が連帯債務者になるとする判示部分は、後の二判決（大判昭四・七・五新報一九〇・一一および【26】）によつて先例として引用されている。ただ、Xが手形書換の更改効果を争わなかつた（したがつて本判決も「書換ニ因リテ更改ノ云々」とする）ことは、手形書換によつて当然更改を生ずるとした先例（大判明三八・九・三〇民録一一・一二九三）にしたがつたものであろう。とすれば、手形書換の更改効果が、否、更改一般の発生が例外視せられるようになると、本件のような事案は必ずしも【24】の結論とは直結しなくなるのであるまいか。この点で、判例法理を維持しつつも、「単ニ既存ノ手形債務ニ関シ弁済方法ノ特約ヲ為シタルモノト認ムルヲ相当トシ更改ノ成立ヲ認ムルノ余地ナキトキ」を認定し、その場合にはさような一部の共同振出人のなした弁済契約は他の振出人に効力を生じないとして、実質的に更改の絶対的効力を否定した下級審（東京地判昭一二・四・二〇新報四七三・二七）の見解は、注目に値いしよう。

次の判例は、共同振出人の一人に対する破産債権届出が他の一人につき時効中断の効力を生ずるか、についてである。被上告人Yが訴外Aらと共同して約手を訴外Bに振出し、Bはこれを上告人Xに裏書し、XはYに書面をもつて（手形の呈示はせず）手形金の支払を催告した。原審は、呈示のない以上時効中断の効力を生じないとしてYの消滅時効抗弁を容れたので、Xは、右Aに対するXの債権が破産債権として確定した旨の裁判所の証明が手形末尾に奥書されているから、Aに対しては呈示をともなう催告があつたというべく、しかもYAらは連帯債務者だから民法四三四条の適用ありと上告。原判決は破棄差戻された。なお、判示の中には連帯債務の独立性と経済的単一利益との関係がくどくど説示されているが、これは手形行為・手形債務の独立を強調しつつ請求の相互的影響を認めた云いわけのように思われ、次掲吾妻評釈も連帯債務の独立性を詳説する点は不必要だと評されている（なお執筆者は、それらを真に必要な部分から区別するために、引用にあたつては改行した）。ともあれ、判示は次のようである。

【25】「数人ガ共同ニテ約束手形ヲ振出シタル場合ニハ各自全額ニ対シ義務アルコトハ商法（旧）二七三条一項ニ徴シ固ヨリ論無シ。而シテ手形行為ハ所謂独立ナルガ故ニ各自ノ債務ハ他ト独立シテ其ノ効力ヲ生ズルコト是亦論無ク、其ノ一人ノ手形行為ニ付無効又ハ取消ノ原因アルモ他ノ債務ニハ何等影響スルトコロ無シ。而モ這ハ民法四三三条ト符節ヲ合ハスガ如キモノアルハ怪ムニ足ラズ。何者吾現行法ノ下ニ於テハ連帯債務ハ一個ノ債務ニ非ズシテ債務者ノ数ニ応ズル多数ノ債務ナリトスル以上、前記民法法条ノ如キハ殆ンド当然ノ結論ニ外ナラザレバナリ。否各債務ハ独立ナルガ故ニ連帯債務ハ則チ多数ノ債務ナリト観ラルルニ過ギズト云フノ寧ロ適切ナルニ如カズ。吾民法ハ少クトモ主義トシテハ連帯債務ハ各自独立ナリト為スモノナリ（民法四四〇条）。然レドモ経済的見地ヨリスレバ則チ利益ハ唯一ニシテ無二ナルガ故ニ、或債務者ニ対シテ生ジタル或事由ハ此ノ関係ヨリ或範囲マデ其ノ影響ヲ他ノ債務者ニ及ボスハ自然ノ数ナラズンバアラズ。其ノ範囲ノ広狭ハ要スルニ立法問題ナリ。民法四三五条乃至四三九条ハ即此範囲ノ規定ニシテ範囲トシテハ寧ロ其ノ広キモノニ属スト雖、孰モ債務消滅ノ事由ニ外ナラザルハ固ヨリ其処ナリ。若夫レ一人ノ弁済ガ全員ノ債務ヲ消滅セシムルニ至リテハ連帯債務本来ノ面目特筆ヲ俟タズシテ自明ナルノミ。

然ラバ今此等事由ガ手形所持人ト共同振出人中ノ或者トノ間ニ生ジタルトキハ如何ト云フニ、右ノ所持人ト爾余ノ振出人トノ関係ニ於テハ総テ前示規定ノ如キ効力ヲ生ズルハ異論アル可クモアラズ。……然ラバ則、所持人ヨリ共同振出人ノ或者ニ対スル支払ノ請求ハ如何。這ハ民法四三四条ノ規定スル如ク他ノ振出人ニ其ノ効力ヲ及ボスコト多言ヲ要セズ（但遅滞ハ今姑ク之ヲ置ク）。蓋斯クノ如キハ手形所持人ノ権利ヲ強固ナラシムルモ薄弱ナラシムル所以ニ非ズ。流通ノ円滑ヲコソ増進スレ毫モ之ヲ阻害スルコト無キニ徴スレバ、此事手形債務ノ独立テフ原則ト些ノ相戻ル無キヤ知ルベキナリ。夫レ履行ノ請求ノ消滅時効ヲ中断スル効力アルハ論ナク、而シテ破産債権ノ届出ガ是亦一ノ請求ニ外ナラザルハ、民法一四七条一号ト同法一四九条乃至一五二条トヲ対比シテ輙チ之ヲ領スルニ余有リ。之ヲ本件手形タル甲第一号証ニ徴スルニ、共同振出人ノ一人Aノ破産手続ニ於テXハ該手形ノ所持人トシテ何レカノ時ニ於テ破産債権ノ届出ヲ為シタルコトヲ窺フニ足ル記載アルヲ以テ、前叙ノ判旨ニ照ストキハ本件手形債権消滅時効ハ此点ニ於テ未完成ナルヤモ亦知ルベカラズ。其ノ完成ヲ以テ唯一ノ抗弁トスル本件ニ於テ、Xタルモノ宜ク自発的ニ斯カル事実ヲ主張スベキヤ殆ンド論無シト雖、其ノ之ヲ懈レルノ故ヲ以テ裁判所ノ釈明権行使ノ義務ガ当然ニ解鎖スルノ理由モ亦之ヲ発見スルヲ得ズ。不用意ノ責ハ蓋原審ノ竟ニ辞スル能ハザルトコロナラムナリ」（大判昭八・五・九民集一二・一一一五）（吾妻・判民七九事件、大隅・法と経済一巻二号四四七頁、升本・法学新報四四巻一号一三〇頁）。

本判決では、Yに対する手形呈示をともなわないXの催告には時効中断の効力が認められなかつたため（判例法理からすれば当然そうなる）、XはAとの間の出来事を引き出してきてYへの請求力を基礎づけようとしたのであるが、現時の多数説は判例的見解と異なり呈示をともなわない催告にも時効中断力を認めるので（この点については、幾代・時効の中断（本叢書民法8）六四頁以下参照）、その立場では本件のような争いにまでは発展しないことになる。ただし、このことは当面の問題ではないので省略し、共同振出人が連帯債務者になるか否かの観点から各評釈を眺めると、大隅評釈は判例に賛成せられ、吾妻・升本両評釈は判例に反対しておられる（なお柚木・下二九頁は、手七一条をもつて連帯債務の規定（民四三四条）の特則とみられるのであろうか？）。

最後の【26】は、手形法施行後の判例であつて、同法四七条一項にいわゆる「合同」責任という言葉の意味にひつかけた争いである。原審において連帯支払を命ぜられた共同振出人両名は、松本博士らの学説および右の「合同シテ」という字句を援用して、自分たちは連帯債務者でないから「原審ガ振出人タル上告人両名ガ連帯債務ヲ負担スル旨判示シタルハ違法」だと上告する（両説の相違点として履行請求の効力や更改の効力を挙げているが、これは暗に【24】【25】を指しているもののようであり、本件では連帯支払を命じた原判決を非難するだけのことと思われる）。しかしこれは棄却された。すなわち、

【26】「然レドモ、手形ノ共同振出人ハ商法二六三条四号及二七三条一項ニ依リ各自連帯シテ手形金支払ノ債務ヲ負担スルモノト解スベキハ、当院判例（【24】）ノ夙ニ説示スルトコロニシテ今之ヲ変更スルノ要ナキハ勿論、所論手形法四七条一項ハ手形行為者トシテ合同シテ其ノ責ニ任ゼシメタルニ止マリ、毫モ前叙共同振出人ガ連帯債務ヲ負担スルコトヲ否定セル趣旨ニ非ザルコト明白ナルヲ以テ、之ニ反スル見解ニ基ク所論採用ニ値セズ」（大判昭一三・五・三新聞四二一七・六・一六法学七・一一・一三九）（大隅・商事法判例研究Ⅲ六八事件）。

大隅評釈は再び判例支持を確認され、共同振出人は負担部分が通常存する点で引受人・振出人・裏書人・保証人らの関係とは異なるから、手形法四七条一項がこれら異なる関係を同一の文字で規定したとは解せぬ旨を補足せられる。

ところで、近時の学説では、連帯債務でなく合同責任だとして判例に反対する見解がむしろ多数であり（鈴木・手形法小切手法二一八頁（註三で合同責任説の根拠を要約される）、大隅＝河本・手形法小切手法三一〇頁（三〇六頁以下に両責任の具体的差異を列挙される）、石井・商法Ⅱ四七六頁（合同責任説が通説とされる）、上柳・後掲判批一〇四頁（なお論評の中心は手形行為の個数論と両説の関係）など）、竹田博士もその遺稿では、合同責任とは連帯の意だがそれも不真正連帯を指すとされる（竹田・手形法小切手法一六八頁。なお一六九頁末行参照）。右の多数説は実務にも反映し、最近の下級審判決は、共同振出人の一人（控訴人X）が他の一人（訴外A）の時効完成を援用できないと判示するにあたって意識的に【24】【25】の立場を排斥し、「手形行為はその性質上独立であって、各行為者は常にいわゆる全部的責任を負うを原則とする。この結果民商法上の連帯債務に関する規定（商法五一一条一項等）は、共同振出人の手形上の債務にはその適用なく、むしろ各振出人は手形法七一条七七条一項八号の適用によって合同責任を負う

もの」(高松高判昭三四・四・二七高民集一二・三・一二五)(上柳・論叢六六巻二号一〇〇頁)と説示するにいたつた。

なお、この事件では敗訴したXが上告しているため、われわれは、最高裁が消滅時効の効力と並んで手形共同振出人の責任の性質を判示するのに接しうるかもしれない(ことに上告が判例違反を理由とした場合)。どういう内容・帰結になるかは、手形法施行後の判例たる【26】が、公式の判例集に採用されておらず、またその争点が単に判決の仕方についてであるので、予想はできかねるけれども、⑴大審院法理を全面的に維持して民法四三九条を適用する、⑵連帯債務説にしたがいつつもXに対する訴訟提起に着眼してAの時効完成を否定する(上柳・前掲判批一〇二頁参照)、⑶合同責任説にふみきつて上告を棄却する、の三つが考えられよう。その場合、民法四三九条を適用することは手形支払の確実性を損なうという価値判断が働き、かつそれは右記⑵や時効援用権者の枠内で解決することができないと判断されたら(なお、連帯債務説を維持しても、更改はこれを認定しないことにより、時効中断は手七一条を民法(四三四条一四七条)の特則とみることにより、それぞれ解決できぬでない。また請求による遅滞責任は、連帯債務説を棄てても同じ結果になる(大隅=河本・手小三〇八頁参照)。ただ、時効中断を正面から相対的効力事由とした場合、連帯債務説では、中断とパラレルに扱うべき時効完成の処理が問題)、議論の多かつた約手共同振出の法律関係も、判例上、連帯債務の発生原因からは姿を消すことになる。

三　連帯債務の対外関係

一　対外関係という言葉

「連帯債務の対外的効力」という言葉は、教科書では債権者の権利(ことに履行請求の仕方)を指すものとして用いられ、「債務者の一人に生じた事由の効力」からは区別されている。しかし後者も、債権消滅原因の場合であれ債権変更原因の場合であれ、それらが他の共同債務者にも効力を及ぼすか（これを絶対的効力を生ずる事由という）それとも及ぼさないか（これを相対的効力しか生じない事由という）を通して、ひいては債権者の満足にも大きく影響するから（なお絶対的効力事由が必ずしも債権者にマイナスでないことについては、於保・債総二〇六頁、椿・連帯債務論の若干の問題点（民商三四巻三号）三五四頁参照）、これをも含めて連帯債務の対外関係と呼んでおく。

もっとも、実例をみると、学者のいわゆる対外的効力に関する判例は、債権者取消権（【86】参照）や判決の既判力（【104】参照）と結びついており、むしろ、債務者の履行責任および連帯債務の弁済をめぐる事例が若干（次述二参照）存するほかは、すべて債務者の一人について生じた事由（そのうちでも、比較的多く争われているのは、時効中断・時効完成および免除）の効力いかんが問題となっている。後述の**三**以下はこの問題を扱うものである。

なお、右に述べた本書の意味における対外関係（＝対債権者の関係）に属する事項のうちには、**五**で特殊問題として判例を紹介するものがあるから、ご注意いただきたい。また、免除や時効完成については負担部分の観念が重要な役割を占めるが、この点に関しては序説で紹介したことを読みあわせていただきたい。

二　債務者の履行責任および弁済

（一）　履行責任に関する若干例　債務者は債権者に対して弁済すべきが本則であるから、当然のことではあるが、「連帯債務者の一人が他の連帯債務者に自己の負担部分に相当する金円を交付するも債権者との関係に付ては何等の影響なく固より其債務を免れ得べきにあらず」（大判昭一〇・一二・三法学五・四・一二三）とする判例がある（事案・争点は不明）。

次は、連帯債務者の負担する責任範囲いかんについてである。連帯債務者のおのおのが債務額を異にしうることは【1】でみたとおりであるが、元本について連帯債務者となることを承諾した者は、左に述べるように利息にも連帯責任を負うのが建てまえである。利息が従たる債務である以上はもとより当然のことである（訴訟費用も従たる債務として同様である。【101】【102】参照）。

【27】「元本債務ト利息債務トハ別個ノモノニシテ独立ノ存在ヲ有スルコト所論ノ如クナルモ、主債務者ノ依頼ニ依リ其ノ負担スベキ元本債務ニ付連帯債務者タルコトヲ承諾シタル者ハ、特別ノ意思表示ナキ限リ取引ノ通念ニ照シ利息制限法所定ノ利率ノ範囲内ノ利息債務ニ付テモ、連帯債務ヲ負担スル意思ヲ有シタルモノト解スルヲ相当トス」（大判昭一九・三・二二新報七〇八・一六）。

もう一つは、連帯債務者であるからには当然責任を負うとされた事例である。上告人Xは、訴外Aの土地再売買完結権を保全するためAに金員を貸与したが、その際、左に紹介するような特約をし、それに違反したときにはAおよび被上告人Yが貸金その他の損害につき連帯支払責任を負うと定めていた。ところが、Aが右契約に違反したのでXはYに請求したが、原審はAに資力あることを理由に損害――したがってYの賠償義務――なしとしたため、契約違反があれば当然AYには弁償義務を生ずるのに原審は損害自体とAの資力とを混淆したと上告。大審院は原判決を破棄していわく、

【28】「Xハ……再売買ノ債権ヲ保全スルガ為メAニ対シテ金五十円ヲ貸与スルニ当リ、A及ビYトXトノ間ニ甲第一号証ノ一ノ契約ヲ締結シ右Xノ出捐ニ依リテ保全スルコトヲ得タル再売買ノ権利ハ爾後Aニ於テXノ承諾ヲ得ザル限リハ他ニ譲渡質入等一切ノ処分ヲ為サザルベク、若シ之ニ違反シタルトキハXノ支出シタル五十円其他ノ損害ヲA竝ニY連帯シテXニ支払フベキ旨ヲ契約シタルニ、Aハ右約旨ニ反……セル違

反行為ヲ為シタル以上ハ連帯債務者タルYニ於テモ亦其責任ヲ免カレザルハ当然ニシテ、Aノ資力ノ有無ニ因リテ消長ヲ及ボスベキモノニ非ズ。然ルニ原裁判所ハ右Xノ主張ヲ誤解シ、Aハ仮令違反行為ヲ為スモ右賠償金ヲ弁済スルニ足ルノ資力アリトノ理由ヲ以テXノ請求ヲ排斥シタルハ失当……」（大判大九・七・七新聞一八〇一・一九）。

（二）　弁済をめぐる若干例　まず、他の連帯債務者より弁済があったという抗弁が出された場合の立証責任者について。連帯債務者の一人たる上告人Xは、債権者Y（被上告人）が他の連帯債務者Aに強制執行をして売得金を得たとする以上、「反証ナキ限リ先ヅ全部ガ本件債務ノ弁済ニ充テラレタルモノト認定セザルベカラズ」として、原審の立証責任の転倒を非難するが、次のように斥けられる。

【29】「金銭債権ノ支払ヲ求ムル給付ノ訴ニ於テ既ニ他ノ連帯債務者ヨリ弁済アリタル旨ノ抗弁事実ハ被告之ヲ証明スベキ責任アルコト論ヲ俟タズ。本件ニ於テハ、XハYガ本訴債権ニ付連帯債務者ノ一人タル訴外Aニ対スル強制執行ノ結果其ノ競売売得金三口合計六百八十円（弱）ノ金額ヲ以テ其ノ完済ヲ受ケタル旨抗弁シ、Yハ該抗弁事実中Yヨリ連帯債務者ノ一人タルAニ対スル強制執行ノ結果右金額ノ売得金アリタルコトハ認ムルモ其ノ中執行費用ヲ除キタル三口合計六百一円（余）ノミガ本訴債権ニ弁済セラレタルニ過ギズシテ債権尚残存スル旨主張セルモノナルガ故ニ、Xヨリ右売得金ノ全額ガ本訴債権ノ弁済トシテ交付セラレタル事実ノ立証ナキ限リ、其ノ抗弁ヲ認容シ得ベキニ非ズ」（大判昭六・五・一九新聞三二七七・一三）。

次は、民法四八九条二号にいう「債務者ノ為メニ弁済ノ利益多キモノ」とは、或る債務者が連帯債務と単独債務とを負うときにはどちらとみるべきか、に関する事例である。上告は「同一金銭支払ノ債務ニシテ同一ノ利息ヲ産出スベキモノガ、単ニ他人ト連帯ナリト云フノ故ヲ以テ単独債務ヨリハ弁済ノ利益少シト解スルコト能ハズ。場合ニ依リテハ連帯債務ヲ早ク弁済スルノ有利ナルコトア」りと主張したが、次のごとく棄却。

【30】「総債務ガ弁済期ニ在ル場合ニ於テ当事者ガ弁済ノ充当ヲ為サザルトキハ、其弁済ヲ以テ債務者ノ為メニ弁済ノ利益多キモノニ充当スベキハ民法四八九条二号ノ規定スル所ナリ。而シテ本案ノ如キ単純債務ト連帯債務ト二個アリテ共ニ弁済期ニ在ル場合ニ於テ、当事者ガ弁済ノ充当ヲ為サザリシトキハ其弁済ハ単純債務ノ弁済ニ充当スベキモノトス。何トナレバ、此場合ニ於テ連帯債務ノ弁済ニ充当スベキモノトセバ、弁済者ハ、連帯債務者ニ対シ其負担ニ属スル部分ニ付求償ノ手続ヲ為サザルベカラザルガ如キ煩労アルノミナラズ、動モスレバ裁判所ニ訴求シ徒ニ時日ト費用トヲ費サザルヲ得ザルガ如キ不利益ヲ受クルコトヲ免レザレバナリ」（大判明四〇・一二・一三民録一三・一二〇〇。三淵・弁済の充当（本叢書民法2）【18】）。

学説も、原則として右判示のようになると解しているが（ただし本問の場合の例外いかんは明らかでない。我妻・債総一四七頁、於保・債総三三六頁など参照）、三淵調査官は、共同債務者となつた他人の負担部分が零のときには、右二つの債務の弁済利益は同じことになるであろうと推論される（三淵・前掲弁済の充当七〇頁）。

もう一つは、民法四七四条二項はそこにいわゆる「債務者」が複数の場合にはどう適用されるかという応用問題であつて、判例【31】によれば、利害関係のない第三者Xの弁済は、連帯債務者の一部たるYらの意思に反するときには、意思に反しないAは格別としてYらとの関係では無効とされている。もつとも、本件は、弁済の効力そのことに争いがあるのではなく、Xが民法四九九条によつて代位してYらに請求した場合にYらとしてはそれに応ずべきか否かを決めるための争いである。原審は、連帯債務複数説を理由に（本書三頁参照）Aに対しては有効だがYらに対しては無効と判示。そこでXは、第三者弁済も原則として有効であり債務者全員の意思に反する場合にのみ例外として無効になる、仮に意思に反していてもXの妻とAの妻は姉妹だからXの行為は利害関係ある者の代位弁済だ、と上告。しかし上告棄却。

【31】「然レドモ所論ノ如キXトAトノ関係（両者ノ妻ガ姉妹ナルノ関係ニシテ法律上ノ親族ニモアラズ）ハ以テ民法四七四条二項ニ所謂利害ノ関係ト為スニ足ラザルヤ論ナク、其ノ他両者ノ間ニ同条所定ノ利害ノ関係ナキコトハ原審ノ確定スルトコロニシテ、カクノ如キ第三者ハ債務者ノ意思ニ反シテ弁済ヲ為スヲ得ズ、カカル弁済ハ債権者之ヲ受領スルモ弁済ノ効ナキコト同条ノ規定ニ徴シ明瞭ナリ。而シテ連帯債務ノ場合ニ於テハタトヒ連帯債務者ノ一人ノ意思ニ反セズトスルモ他ノ連帯債務者ノ意思ニ反スル以上、其ノ意思ニ反スル連帯債務者ニ対スル関係ニ於テ前叙ノ如キ第三者ノ弁済ハ其ノ効ナキモノト謂フベク、本件ニ於テXノ為シタル弁済ハ連帯債務者ノ一人タルAノ意思ニ反スルトコロナキモ他ノ連帯債務者タルY等ノ意思ニ反スルモノナルコトハ原審ノ確定スルトコロナルヲ以テ、右弁済ハY等ニ対スル関係ニ於テ無効ナル旨判示シタル原判決ハ正当ナリ」（大判昭一四・一〇・一三民集一八・一〇六五）（四宮・判民七四事件、柚木・民商一一巻三号五〇一頁）。

この【31】に対しては、四宮評釈が、四七四条二項の妥当性に対する疑念を根本的には内包しつつ、次のような操作を考えておられる。それによればこうである。まず、Xの弁済はAの同意のもとに行なわれたので、Aの債務は消滅することにならざるをえないが、その結果、連帯債務の牽連性に基づいて（なお柚木・下三五頁では、根拠は、債権者の満足に求められているが、これは弁済の絶対的効力性に帰着しよう）全債務が消滅する。しかし、XとYの間には何らの法律関係は生じない。判例はここまで論じているが、保証（民四六二条）と比較した場合、何も法律関係を生じないとするだけでは足りない。しかし、連帯債務複数説を採りかつ四七四条二項を無視しないかぎり、Xの弁済はA一人のためになされたものとみなければならないが、その場合もAはYらに対しては求償権を有するから、結局X→A、A→Yらという求償循環を避けるために民法四六四条を類推して、直接XからYらへの求償を認むべきである。ただ、本件ではYらの負担部分が零であるから、XがYらに求償できないという結果においては判示と異ならない、と。これに対して柚木教授は、右のような四六四条の類推によるべきか、Xに償還した（下三五頁にはこの言葉はないが、当然こうなると思われるので補足する）AがYに対し民法四四二条によつて求償すべきか（ただし【31】の事案ではこの関係を生じないことはいうまでもない）、を問題として提起しておられる。

なお、【31】とは異なり弁済が連帯債務者の意思に反しない場合に、第三者（ないし物上保証人）は負担部分のない連帯債務者に償還請求できるか否かにつき、判例は問題を肯定しているが【8382】、それによれば、求償循環の避止という右評釈の要請は、判例にとつては絶対的のものではないことになる。さらに、Xに償還したAからYに対しての負担部分に応ずる求償を認めるときには、連帯債務者の一部の意思に反する第三者弁済は、決済関係では意思に反しない場合と何ら差別がなくなる。また、これらと関連して、【31】は本件Xが本件Yに求償できないということ以上にどれだけの先例的内容をもつかも判断しがたくなる。全くのところ難問だというほかはない。

次に、本判決は「Y等ハAト特殊ノ関係ニ在ルXヨリ求償セラルルコトヲ悦バズ」云々と述べて、意思に反する旨の認定を軽く取扱つているようにみえるが、四七四条二項はその法意および挙証をめぐつて問題のあるところだから、以下これと関連づけて若干補説しておきたい。

周知のように、四七四条二項に関しては、先例が二件ある（公式の判例集に収録されておらないものはなお二、三件あるが、それらは一応論外とする）。すなわち、その一つ——仮に判例甲と呼ぶ——は、意思に反するか否かにつき「争アルトキハ第三者ニ於テ其弁済ガ債務者ノ意思ニ反セザルコトヲ立証スルノ責アルモノトス」（大判大六・一〇・一八民録二三・一六六二）と判示し、もう一つ——判例乙と呼ぼう——のほうは、弁済が債務者の意思に反するのは異例であつて、「本件上告人ハ……異例ヲ主張シ本訴ノ請求ヲ為スモノナレバ、弁済ガ債務者ノ意思ニ反シテ無効ナリトノ事ハ須ラク上告人ニ於テ立証スルヲ要ス」（大判大九・一・二六民録二六・一九）と判示しているのであるが、学説は⑴両者をもつてあい反する趣旨の判例と解し⑵かつ乙の立場を支持する（たとえば我妻・債総一三三頁、柚木・下二三六頁参照）。判示を抽象的に——とりわけ債権者との間における効力として——眺めるかぎりでは、学説の見解はもとより正当である。ただ、事案の具体的内容（誰が誰に対してどういう内容の請求をしたか）と相対的に観察する場合には、必ずしもさほど簡単には論断できない（椿・判例債務引受法その二（近大法学六巻二・三合併号）二〇一－二〇二頁も、判例の観察方法がやや皮相的だった）。というわけはこうである。判例甲は、債務者が第三者に対して無効を抗争して償還を拒否した事件であるのに対し、判例乙のほうは、第三者が債権者に対し無効を理由に返還請求をした事件であつて、かような内容を異にする事案（すなわち甲はいわば求償関係であり乙はいわば対外関係である）につき異なる判示がなされたのであるが、判例の考え方は、両判例によつてこれをうかがうかぎり、利害関係のない第三者の弁済といえども債権者に対する関係ではなるべくこれを有効として取扱い、しかも弁済者と債務者との関係では債務者の意思をとにかく尊重する、という趣旨に解しうるのである（なお、挙証責任を負わされる当事者は、訴訟上一般に有利になるのか不利になるのかを、あわせ考えられよ）。学説が判例甲に反対するのは、好意的に解すれば、弁済者と債務者との関係においても、なるべく債務者のわがまま（つまりこの関係では、他人の出捐によってマイナスを免かれたのに、敢えて償還を拒むことをいう）を押さえる趣旨だともいえなくはない。が、それはともかくとして、以上のような観点に立つて考えた場合においてこそ、まず第一に、判例乙が判例甲を援用しての上告（ただし上告理由の引用は、事件番号は正しいが、日附は何かのまちがい）にもかかわらず、「論旨引用ノ本院判例ハ本件ニ適切ナラザルヲ以テ、採テ範ト為スニ足ラズ」としたた意味がはつきり了解できるとともに、また、判例甲と同乙とは必ずしも反対であり矛盾するものとして引用できないことも理解される。さらに、判例【31】が、Yらの意思に反する旨を比較的簡単に認定しさつたことも不当ではないといいえよう。けだし【31】は、右両判例にあてはめると甲の系統に属する事例であり、したがつて反対事実の主張および立証がない場合に裁判所が「推定」の側に傾いた認定をすることは不当でも違法でもないからである。

もつとも、有効・無効というような操作を用いて償還請求をオール・オア・ナッシングの関係に立たせることに対しては、さらに新たな疑問が抱かれるであろう。

三　請求・差押・承認の効力

(一)　序　連帯債務者の一人に対する請求は、民法四三四条により他の債務者にもその効力を生ずるとされているが、その具体的な内容は時効中断力と遅滞効果である。ところが、その時効中断を生ずる事由には請求のほか差押や承認もあるので(民一四七条)、差押や承認もまた絶対的効力を生ずるか否かが争われている。そこで、これらも請求と並べて解説するが、時効中断事由の絶対的効力・相対的効力の問題は、同時に後述する時効完成と表裏するので、その項で紹介する判例もある。

(二)　履行請求の絶対的効力　履行請求は、民法典の定める絶対的効力事由の中では唯一の債権変更原因であつて(他のものはすべて債権消滅原因)、民法四三四条の定める効果は、債権の効力を強化するために認められたといわれている。請求のかかる絶対的効力性については、債権者保護に偏し(勝本・中(1)一四一頁、近藤=柚木・中七三頁)他の債務者に不当な不利益を与える(柚木・下二八頁)との否定的な評価もあれば、他方、時効完成が絶対的効力を生ずることとの釣合上必ずしも不当ではない(我妻・債総二〇二頁)、やむをえない(於保・債総二〇七頁)とする見解もある。

まず、裁判外の請求――すなわち催告――に関しては、【37】の傍論を除き大審院には判例がみあたらないが、下級審には、「催告ハ之ヲ為シタルヨリ六ケ月以内ニ裁判上ノ請求其他同条（＝民一五三条）ノ手続ヲ為スニアラザレバ時効中断ノ効力ヲ生」じないとして絶対的効力を否定する判決（東京控判年月日不明（明四四ネ六五三号六六一号）評論一民法六三九）、「右請求ガ他ノ連帯債務者ニ対シ時効中断ノ効力ヲ生ズル為メニハ、他ノ連帯債務者ニ於テ債務ノ承認ヲ為スカ或ハ債権者ニ於テ他ノ連帯債務者ニ対シ民法一五三条所定ノ手続ヲ為スコトヲ要スルモノ」と解する判決（東京控判昭一〇・六・二一新聞三八七一・一一）がある。なお手形の場合については、【25】で述べたとおりである。

次に、裁判上の請求は、裁判確定までの間、そのものとして（＝民法一五三条の手続を要することなく）他の債務者に対しても時効を中断する。事案はこうである。Y会社（被上告人）は、第一回株金払込がなかつたため設立無効となつた。そこで、商法（旧）一三六条により連帯払込義務を負う発起人中まずABに対して訴を提起し勝訴判決が確定。Yはさらに発起人X_1X_2（上告人）を訴求したが、原審は、時効完成を主張するX_1の抗弁に対し、ABに対する訴提起によってX_1X_2の時効も中断されたと判示したため、訴提起のごとき訴訟手続により時効中断という実体法上の効力を生ぜしめるのは不当、民法一五三条の手続あるまでは裁判上の請求も事実上の効力しかない、など訳のわかりにくい理由を挙げて上告。大審院は丁寧に答えていわく、

【32】「連帯債務者ノ一人ニ対スル履行ノ請求ガ他ノ債務者ニ対シテモ其ノ効力ヲ生ズルコトハ民法四三四条ノ規定ニ依リ明カニシテ、玆ニ所謂請求中ニハ固ヨリ裁判上ノ請求ヲモ包含スベキモノナルトコロ、同

法一四七条一五七条及民事訴訟法二三五条ニ依レバ裁判上ノ請求ハ訴提起ノ時ヨリ裁判ノ確定ニ至ル迄時効ヲ中断スルモノナレバ、連帯債務者ノ一人ニ対シ裁判上ノ請求ヲ為シタルトキハ訴提起ノ時ヨリ裁判ノ確定ニ至ル迄他ノ債務者ニ対スル債権ノ時効モ中断スルモノト為サザルベカラズ。原判決ノ適法ニ確定シタル事実ニ依レバ、Y会社ハ同会社設立ノ発起人トシテX等ト共ニ本件株金払込請求権及遅延損害金請求権ニ付連帯債務ヲ負担セルABニ対シ債務発生ヨリ未ダ一〇年ヲ経過セザル昭和四年一月中該債務ノ履行ヲ求ムル訴訟ヲ名古屋地方裁判所ニ提起シ、同事件ノY会社勝訴ノ判決ハ昭和七年九月二七日確定シタルモノナルヲ以テ、Xノ本件株金及遅延損害金支払義務ニ付テモ時効ハ更ニ昭和七年九月二八日ヨリ進行スベキモノト謂フベク本訴提起迄ニハ消滅時効完成セザルコト明白ナレバ、X等ハ其ノ義務ヲ免ルル能ハズト判示シタル原判決ハ正当ナリ」（大判昭一三・一二・八民集一七・二六三三）（来栖・判民一六〇事件、西村・民商九巻六号一二〇七頁、田島・論叢四〇巻五号八〇頁、岩田・法学新報四九巻六号九五一頁）。

各評釈とも、判示事項である訴求の絶対的効力性については異論がないが、西村評釈は、裁判上の請求を受けないX_1X_2に対する関係では単純な催告とみる上告理由も非論理でないとされ（なおこれと関連して消滅時効制度の根拠にも言及）、岩田評釈は、訴訟行為の絶対的効力性は債務単一説を採つてはじめて理解されるといわれる（民訴二三五条の解釈にも言及）。

この【32】は、調停成立により訴訟を取下げた場合に関し先例として引用されている。Y_1Y_2（被上告人）は訴外ABとともに消費貸借により上告人X先代に対し連帯債務を負担していたところ、Xは、Aに対して訴を提起し訴訟繋属中に金銭債務臨時調停法による調停が成立して訴を取下げたが、右貸金債権に基づきY_1Y_2を訴求。争点の一つは、本件訴の取下が民法一四九条の適用を受けるかどうかであつて（もう一つについては本書五六—五七頁割註参照）、Xは、一般の訴取下と異なり訴訟の目的を達したため形式上の手続として取下げたから同条の適用なしと上告。これは次のように容れられた（なお民調一六条二〇条参照）。

【33】「金銭債務臨時調停法ニ依ル調停ノ成立シタルトキハ該調停ハ裁判上ノ和解ト同一ノ効力ヲ有スルモノ（金銭債務臨時調停法四条、借地借家調停法一二条）ナルヲ以テ、訴訟繋属中ノ事件ニ付調停成立シタル場合ハ仮令其ノ手続ヲ異ニスルトハ云ヘ時効中断ニ付テハ当該訴訟事件ニ付裁判上ノ和解成立シタル場合ト同視スベキモノト解スルヲ相当トスベク、該調停手続ガ当事者孰レノ申立ニヨリ為サレタリトスルモ其ノ結論ヲ異ニスルモノニ非ズ。蓋シ該訴訟ハ調停成立ノ限度ニ於テ其ノ目的ヲ遂ゲ最早ヤ訴訟ハ其ノ進行ノ必要ナク、強テ進行スルモ権利保護ノ必要ナシトシテ原告ノ請求ハ却下セラルベキモノナルガ故ニ、単ニ形式上訴訟手続ヲ終了セシムル為訴ヲ提起シタル者ハ其ノ取下ヲ為スベキハ素ヨリ[illegible]俟タザルトコロナリト雖モ、开ハ結局訴訟ノ目的ヲ遂ゲズシテ裁判所ニ対シ判決ナカラムコトヲ求ムル[illegible]ノ取下トハ其ノ本質ヲ異ニスルヲ以テ、民法一四九条ノ律意ニ徴シ同条ニ所謂訴ノ取下中ニハ前者ノ場合ヲ包含スルモノト解スベカラザレバナリ。而シテ前示調停手続ニ於テ本件貸金債権ハ全額確認セラレタルモノナルコトハ原審ノ確定スルトコロナルヲ以テ、該債権ニ付テノ時効ハ前記訴訟提起ニヨリ其ノ全額ニ付Yニ対スル関係ニ於テモ中断ノ効力ヲ生ジタルモノト云ハザルベカラズ（【32】参照）」（大判昭一八・六・二九民集二二・五五七——幾代・前掲時効の中断【16】）（吾妻・判民三四事件、舟橋・民商一九巻三号二七七頁）。

支払命令による請求の絶対的効力については左の判決がある。事案は不明だが、債権者が、連帯債務者Aに対する支払命令が同Yら（被上告人）にも効力を及ぼすことから、それに基づく時効期間延長もYらに及ぶと上告して棄却された事件のようである。

【34】「連帯債務者の一人たるAに対し支払命令に依る請求を為したる効力が民法四三四条に依り他の連帯債務者たるY等に対しても生ずべきことは明かなれども、是れ只民法上の請求たる効力が及ぶに止まるものにして、Aが右仮執行の宣言を附したる支払命令に対する異議申立期間を徒過し確定判決を受けたると同

一の効力を受くるに至りたればとて、之に基く時効期間延長等の法律上の効力は他のY等連帯債務者に及ぶべきものに非ず。従てY等に対する消滅時効はAに対する支払命令の確定したる昭和八年四月二八日の翌日より更に進行を開始し、本訴の提起せられたる同一五年二月二日以前既に五年の経過に依り完成したるものと謂はざるべからず」（大判昭一八・四・二二法学一二・一一・九一）。

(三)　差押の効力　債権者X（上告人）が連帯債務者の一人A（訴外）に対して差押をしたが、その後もう一人の連帯債務者Y（被上告人）について消滅時効が完成した場合、原審が右差押の時効中断力はYに及ばないとしたので、「差押ハ履行ノ請求ノ最モ厳シキモノナルヲ以テ……Yニ対シテモ其効力ヲ生ジ、従テ本件債権ハ時効ヲ中断セラレタルモノ」と上告。しかし棄却。

【35】「差押ハ債権者ガ其債権ノ弁済ヲ得ンガ為メ自カラ行フモノニシテ本来債務者ニ対スル意思表示ノ方法トセルモノニ非ザレバ、債務者ニ対シ履行ヲ受ケント欲スルコトノ意思表示タル請求ト同一視スベキニ非ザルコト多言ヲ俟タザルノミナラズ、民法一四七条ニモ『時効ハ左ノ事由ニ因リテ中断ス　一　請求　二　差押仮差押又ハ仮処分　三　承認』トアリテ明ニ請求ト差押仮差押又ハ仮処分トヲ区別セリ。然リ而シテ民法四三四条……ハ単ニ請求ノミニ付他ノ債務者ニ対シテモ効力ヲ生ズルモノト為シタルニ止マリ、同法四五七条一項ノ如ク請求以外ノ中断事由ニ付テハ他ノ債務者ニ対シテ効力ヲ生ゼザラシムル法意ナルコト疑ヲ容レズ。故ニ原裁判所ガ連帯債務者ノ一人ナルAニ対シテ為シタル差押ハ他ノ債務者タルYニ対シ時効中断ノ効ナシト為シタルハ正当」（大判大三・一〇・一九民録二〇・七七七）。

この【35】は、後日、民法四三四条の請求には差押も含まれるという上告を棄却するにあたつて先例とされているが（大判大一五・三・二五評論一五民法三〇八）（なお民集五巻二一四頁は、上記評論に掲載された判決を収録しているが、ここで問題の判示第二点は省略されている）、差押のこの相対的効力性は、他の債務者の時効完成の認定要件として改めて問題となる。後述しよう（【54】参照）。

（四）承認の効力　判例は、差押と同じく承認も絶対的効力を生じないという見解である（なお、債権者から請求を受けた連帯債務者の一人が、他の連帯債務者にまず強制執行をしてくれと懇請することは承認とみられる（大判昭一〇・一一・一九裁判例九民事二八四））。この相対効も、他の債務者における時効完成の認定要件（【52】参照）や承認者の責任範囲（【53】参照）と関連してくる。

さて、承認の相対的効力性を正面から論じた最初の判決は、次のようなケースである。連帯債務者（上告人）X_1X_2中X_1だけが債権者Y（被上告人）の貸金請求に対し債務を承認したところ、YはX_1X_2両名に対し支払を訴求し、原審では、右X_1の承認により時効は中断されたとして両名に借金全額の支払が命ぜられた。そこで、X_2からは、X_1の承認の効果はX_2に及ばずX_2は時効が完成したので支払義務はない、またX_1からは、X_2の右時効完成の結果その負担部分についてはX_1も免責されるはずである、と上告。大審院は二点とも上告を容れたが、ここでは承認の効力だけを引用する（X_1の上告に対する判示は【53】）。

【36】「連帯債務者ノ一人ガ債務ノ承認ヲ為シタルトキハ其ノモノニ対シテハ時効中断ノ効力ヲ生ズルモ他ノ債務者ニ対シテハ効力ヲ生ズルモノニアラザルコトハ、民法四三四条乃至四三九条ニ於テ連帯債務者ノ一人ガ為シタル債務ノ承認ハ他ノ債務者ニ対シテモ其ノ効力ヲ生ズル旨ノ規定ナキト、四四〇条ニ於テ前示六条ニ掲ゲタル事項ヲ除クノ外連帯債務者ノ一人ニ付生ジタル事項ハ他ノ債務者ニ対シテ其ノ効力ヲ生ゼザルヲ規定セルニ依リ、洵ニ明ナリトス。果シテ然ラバ本件ニ付原審ガ、連帯債務者ノ一人タルX_1ノミガ債務ヲ承認シ従テ同人ニ対スル本件債権ノ消滅時効ノ進行ヲ中断シタルニ過ギザルコトヲ認メタルニ拘ラズ、他ノ債務者タルX_2ニ対シテモ其ノ効力ヲ生ジタルモノノ如ク誤解シ同人ニ対シ債務全額ノ支払ヲ命ジタルハ不法……」（大判昭一二・一・三一新聞二六七二・一二、評論一六民法四一五）。

次も同旨の棄却判決であるが、「連帯債務者ノ一人ノ為シタル承認ガ債権者ノ請求ニ基ケル承認ナルトキハ、其ノ承認ガ他ノ連帯債務者ニ対シテ其ノ効力ヲ生ズルコト全ク疑ナキ処ナリ」とする上告との対比上、注目すべきものである。すなわち、

【37】「民法四三四条ガ連帯債務者ノ一人ニ対スル履行ノ請求ガ他ノ連帯債務者ニ対シテモ亦其ノ効力ヲ生ズト規定シタル所以ハ、単ニ此ノ如キ場合ニハ他ノ連帯債務者モ亦履行ノ請求ヲ受ケタルコトトナルト云フニ止マルモノニシテ、連帯債務者ノ一人ガ請求ニ応ジテ為シタル行為ノ効力ノ如キハ全ク右法条ノ定ムルトコロニ属セザルモノナルガ故ニ、特別ノ規定ナキ限リ債権者ノ請求ニ依リ連帯債務者ノ一人ガ為シタル債務ノ承認ハ他ノ債務者ニ対シ何等ノ影響ヲ及ボス可キモノニアラズ。而シテ又民法一五三条ニ依レバ単純ナル催告ハ更ニ六ケ月内ニ於テ同条ニ列記セル事実ヲ伴フニ非ザレバ時効中断ノ効力ヲ生ゼザルモノニシテ、且本件ニ於テ当事者ハ何等右ノ如キ事実ガ請求ニ伴ヒタルコトヲ主張シタル形跡ナキヲ以テ、仮ニ債務者ノ一人ガ債権者ニ対シテ為シタル承認ハ債権者ノ請求ニ基クモノニシテ且其ノ請求ノ効力ガ他ノ債務者ニ及ブモノトスルモ、此等ノ事実ハ畢竟他ノ債務ニ付時効中断ノ効力ヲ生ズルモノニアラザルコト多言ヲ要セザルトコロ……」(大判昭五・五・一新聞三一二三・七、評論一九民法六四七)。

承認の相対的効力性および催告による時効中断の失効という右法理は、その後も、原審が「本件貸金ニ付テハ数回ノ請求ヲナシタルトコロ、上告人X_1ニ於テハ其ノ都度各債務ヲ承認シ弁済ノ猶予ヲ求メ居リタリ」として上告人$X_2$$X_3$にも連帯履行を命じたのを破棄した判決(大判昭一四・一二・一二新聞四五一〇・一三)でも確認されている。もっとも、古い判決には、

【38】「連帯債務者ノ一人ガ債権者ヨリ債務履行ノ請求ヲ受ケタル上ニテ延期証書ヲ差入レタル場合ニ於テハ、他ノ連帯債務者ニ対シテモ時効中断ノ効ヲ生ズ可シ。何トナレバ債権者ガ連帯債務者ノ一人ニ対シ請求ヲ為ストキハ、総テノ連帯債務者ニ対シ時効中断ノ効ヲ生ズルモノナレバナリ」(大判明三一・一二・二一民録四・一一・一)。

として、延期証の差入に絶対的効力を認めたものが存するけれども（同旨、大判明四〇・一二・一一民録一三・一二二）、【37】なども、必ずしも【38】に矛盾する判決ではない（ただし、【38】およびそれを先例とする右掲明治四〇年判決は、民法施行前のケースである）。

なお、【36】など破棄判決の原審は承認に絶対的効力を認めたわけだが、それらに対し下級審にも大審院と同旨の判例は若干あり（たとえば東京控判大一三・一二・五新聞二三五六・一五）、ことに前掲下級審（東京控判昭一〇・六・一一──本書四五頁参照）のごときは全く【37】のロジックにしたがっている。

四　更改の効力・成否

更改の効力については、【24】および古い下級審決定（宮城控決明四二・一一・二〇新聞五六五・九）を除き適切な判例がなく、次出【39】も或る下級審判例（山鹿区判昭八・一一・一七評論二三民法四七八、新聞三七〇五・七）も、ともに効力の前──つまり更改の成否──の段階で論じているにすぎない。【39】は次のようである。被上告人YおよびAB は上告人Xから借金をしていたところ、Xは、右債務の履行をYに対して訴求した。原審においてXは、右債務が平等分割債務なりと主張し、Yは、それが連帯債務であつてAの弁済により消滅したと主張したが、原判決は、連帯かどうかを確定することなく、XAの契約でその債務を消滅させA個人の債務を新たに発生させたため、Yの債務は消滅したものと認定した。そこでXは、右XA間の更改契約はYの意思に反するものと推定すべきだから（ただし、その理由として掲げるかのような連帯主張に関する部分とのつながりは理解できない）、意思に反しないことの説明判断をしない原判決は違法と上告。原判決は次のように破棄された。

【39】「……原裁判所……認定の趣旨はXとA間に債務者の交替に因る更改の契約成立したりと云ふに在

るが如し。斯の如き更改契約は、若し本件貸借に基く債務がY主張の如く連帯なるに於ては民法四三五条に依り総債務者の利益の為めに全債務関係消滅の効を生ずるも、其債務が連帯ならざる可分債務なるに於ては同法五一四条に依り更改契約に関与せざる旧債務者の意思に反して之を為すことを得ず。……故に原判示の如き更改契約成立の為めにYの債務消滅したる事実を認むるには、先づ本件貸借に基く債務は連帯なりや否やを確定し、果して連帯ならざる可分債務なりとせば其更改契約はYの意思に反せざるや否やを審理判定せざる可からざるに、事玆に出でざりし原判決は違法たるを免れず」（大判大四・九・二一（大三オ四四九号）新聞一〇五三・二七）。

判示は上告理由を上廻る答え方によって原判決を破棄していて、その意図が那辺にあるのか——ことに更改の成立を制限しようとするものかどうか——は見当がつきかねる。ただ、傍論的に述べているところからは、連帯債務における更改は一般の場合（民五一四条）と異なり、他の連帯債務者の意思的関与を要せず債権者と連帯債務者の一人との契約でこれをなしうる、とする考え方がうかがえる。しかしこれとても、条文の表現以外に、なぜそう解すべきかは不明である。

なお、更改の認定が問題となったついでに、次のことを補足しておこう。今日では、更改という制度は、その不便さ・不合理さのゆえに、例外視せられ（於保・債総三八二頁）その認定には慎重なれと注意されているが（我妻・債総一六九頁）、連帯債務において更改がなされたときには、それは四三五条によって他の債務者にも影響を及ぼし、しかもその内容は旧債務の消滅——【39】についていえばYBの免責——となるのである。これは、いうまでもなく連帯債務関係の破壊であって、併列的全額責任の形態によって債権の強効をもたらすべき連帯債務の機能に反する。とすれば、債務者が単独の場合以上の必要さをもつて、連帯債務における更改の認定には慎重さが望まれる、といっても過言ではないであろう。

五　相殺の効力・相殺援用権

（一）相殺の効力　一債務者の相殺援用の結果が他の債務者にも影響する（民四三六条一項）ということに関しては判例はみあたらず（もっとも【42】の事案を参照）、相殺によって消滅した債権の復活に関する次の破棄判決が存するにすぎない。事案はこうである。被上告人Yの先代と訴外AとはBからの借用金につき連帯債務を負担していたが、右連帯債務を連帯保証した訴外CとBとの間に相殺が行なわれて、CはBの権利に代位しその権利を上告人Xに譲渡。XはYに対して強制執行。ところが、BC間の相殺は合意解除されていたので、Yは、債務が復活した以上Xの強制執行は許されぬと異議を申し立て、Xは、右合意があっても強制執行はなしうると反論。第一審第二審ともY勝訴となったので、Xは、(1)相殺の解除がなされても第三者に効力を及ぼさない（民五四五条一項）、(2)主債務者の同意なくしてはいったん有効に消滅した債務を復活させえない、と上告。これは容れられて、次のごとく破棄差戻となる。

【40】「原判決ハ『……C及Bハ合意ヲ以テ右ノ相殺ヲ為サザリシコトニ取極メタルヲ以テ、之ニ因リ貸金元利金ハ総テ消滅セザリシコトニ帰センモノナル』旨ヲ判示セリ。然レドモ……右貸金ニシテ当事者ノ合意ニ因リ一旦消滅ニ帰セシモノトセバ、之ト同時ニY先代ハ其ノ連帯債務ヲ免レシモノナルガ故ニ、後ニ至リC及Bノ合意ヲ以テシテ一旦消滅セシ債権債務其ノモノヲ復活シ以テ消滅前ニ於ケルト同一ノ権利状態ニ復セシメ、Y先代ヲシテ再ビ其ノ従前ノ連帯債務ヲ負担セシムルガ如キハ右両名ノ為シ得ザルトコロナリ。蓋同一ノモノヲ遡及シテ再生セシムルコトハ事実上不能ニシテ、契約自由ト云フト雖事実上不能ナルコトハ之ヲ為スニ由無ケレバナリ。但右両名ノ合意ニ因リ旧債権債務ト等シキ別個ノモノヲ新ニ成立セシムルハ不可ナク、而シテY先代若ハYニシテ右ノ合意ニ同意シ従前ト等シキ連帯債務ヲ負担スルニ異議ナキトキハ同様ノ債務ヲ是認シ得ベキノミ。故ニ之ガ判示ニ付テハ少クモYノ側ニ於ケル右同意ノ有無ヲ確定セザルベカラ

ザル筋合ナリトス……」（大判昭三・二・一五民集七・二五五）（吾妻・判民二五事件、末川・）。

右の両評釈とも結論には賛成せられるが、事実上不能だからという理由づけに対しては、意味不明（末川評釈）、非法律的（吾妻評釈）と批判しておられる。

（二）　相殺援用権　民法四三六条二項の援用権は、決済を簡便にしかつ反対債権ある債務者を保護しようとする趣旨だと説かれているが、これについて判例は二つある。

その一つは、反対債権を有する連帯債務者の一人が破産宣告を受けても、他の連帯債務者は相殺権を有すると判示する。金額のやや大きい事件であるが、上告人Xおよび訴外ABは共同経営をなし被上告人Yに対し三万四千円弱の代金債務を連帯で負担していたところ、Yに対し五千円の反対債権を有するBが破産宣告を受けた。原審は、破産者Bに相殺権のないことからXの援用権も否定したので、Xは「破産者ノ一人ガ其破産宣告前ニ於テ取得シタル債権ヲ以テ相殺ヲ主張シ得ベキコトハ、之ヲ禁止セル規定ノ存セザルニヨリ明瞭ナリ。然ラバ他ノ連帯債務者ハ之ヲ用イテ相殺ヲ主張シ得ベキコト又明ナリ」と上告。大審院は原判決を一部破棄した（次出菊井評釈は、ことごとく民法によるという点を除いて賛成）。

【41】　「相殺権ニ関スル破産法ノ規定ハ、破産債権者ガ相殺ヲ為スニ付相殺ニ関スル民法ノ規定ヲ或場合ニ拡張シ又或場合ニ制限シタルモノニ外ナラズ。即換言スレバ破産債権者ガ相殺ヲ為ス場合ニ付或種ノ特例ヲ設ケタルニ過ギザルモノニシテ、破産債権者ノ為ス相殺ニ付テモ右特例ノ場合ノ外ハ総テ民法ニ依拠スベク破産者ノ債権ヲ以テスル相殺ニ至リテハ一ニ悉ク民法ニ準由スベキ趣旨ナルコトハ疑ヲ挟ム余地ナキトコロニシテ、破産者ノ為ス相殺ハ固ヨリ破産管財人ニ依リテ為サルベキモノナルモ、本件ニ於テ破産者タルBト連帯債務者ノ関係ニ在ルXハ民法四三六条二項ニ則リ自ラBノ債権ヲ以テ相殺ヲ援用スルコトヲ得ベク、従

テ原審ハ宜シク先ヅBノ債権ニ関スルXノ主張ヲ釈明シテ該債権ノ存在ヲ確定シ、若シ其ノ債権ニシテ存スルモノトセバ前示民法ノ規定ヲ適用シテ相殺ノ結果ヲ判定スベキモノトス」（大判昭七・八・二九民集一一・二三八五）（菊井・判民一八九事件）。

もう一つは、債権譲渡通知の時期や確定判決の効力などがからみあつて若干複雑だが、相殺援用権行使の効果に関するケースである（ただし、見方によつては相殺利益の主張そのものに関する事件ともいえる）。上告人X_1は訴外A無尽会社に対し準消費貸借によつて債務を負担したが、これに上告人X_2および訴外BCが連帯債務者となつたところ、Aは昭和八年三月二七日右X_1らに対する債権を被上告人Yに譲渡し、その旨を$X_1$$X_2$には三月三〇日に、BCには五月二二日に、それぞれ通知した。他方、X_1は訴外DからAに対する債権を三月二八日に譲り受けて、四月九日にDから譲渡通知をし、同時にX_1はYに対して相殺の意思表示をした。Yはその後BCを訴求したが、彼らの相殺援用が容れられて、相殺の限度における債権消滅を認めた判決が確定。本訴ではX_1らは右相殺の意思表示およびこの判決を援用したのであるが、原審は、(1)X_1の債権取得前にYの譲受の対抗力が生じているので、X_1の相殺抗弁は効力を生じない、(2)確定判決の効力はX_1らに及ばない、と判示。そこで、「B及CガX_1ノY前主ニ対スル債権ヲ援用シテYニ相殺ヲ対抗シ、一部若クハ全部ノ債権消滅ノ効果ヲ発生スル時ハ、他ノ連帯債務者タルX_1等モ其ノ効果ニ浴ス可キモノ」と上告するが、次のように斥けられた。

【42】「本件債権ノ連帯債務者タルBC等ニ於テ、他ノ連帯債務者タルX_1ガ本件債権ノ譲渡人タルA無尽株式会社ニ対シ有シタル債権ヲ以テ本件債権ノ譲受人タルYニ対シ相殺ヲ援用シ、之ヲ認容シタル確定判決ニ依リ右両名ハ該相殺ノ範囲ニ於テ債務ヲ免レタリトスルモ、同人等ハ連帯債務ノ負担部分ヲ有セザルノミナラズ、同人等ノ為シタル右相殺ノ自働債権ハYガ本件債権ヲA会社ヨリ譲受ケタル後ニ於テX_1ガDヨリ譲受

ケタル右会社ニ対スル債権ナルヲ以テ、X_1自身ニ於テ右譲受債権ヲ以テYニ対シ相殺ヲ主張スル能ハザル関係ニアリテ、X_1ガ該債権ヲ以テYニ対シ為シタル相殺ハ其ノ効ナキコト原審判定ノ如クナルガ故ニ、斯ル関係ニ於テX_1等ハ右BC等ガ右ノ如ク相殺援用ニ依リ免レタル範囲内ニ於テX_1等ノ負担スル本件連帯債務ヲ免ルルコトヲ得ザルモノト解スベキモノトス。即X_1等ハ右両名ガYニ対シ為シタル相殺ノ利益ヲ受クルコト能ハザルモノト謂ハザルベカラズ。原審ガ此ノ点ニ付右BC両名ニ対スル判決ノ既判力ハX_1等ニ及バザルコトヲ理由トシテX_1等ハ右両名ノ相殺ノ効果ヲ受ケザルモノノ如ク判示シタルハ、其ノ当ヲ得ザルモノニシテ理由不備タルヲ免レズト雖、X_1等ガ右両名ノ相殺ノ効果タル利益ヲ受ケザルコト前示ノ如クナルヲ以テ原判決ハ結局正当……」（大判昭一二・一二・一一民集一六・一九四五）（兼子・判民一三六事件、勝本・民商七巻六号一〇六九頁）。

両評釈とも、判示の結論つまりX_1らが相殺の利益を受けられないという点には賛成である。が、勝本評釈は、BCの相殺援用権を採りあげ、X_1自身が相殺を主張できない場合にBCがそれを援用できる理由はないとされる（なお勝本・中(1)一六四頁参照）。また兼子評釈は、二項の相殺援用権が自己の弁済を拒絶する抗弁権を認めたにとどまる（＝反対債権を有する債務者に代わって債務を消滅させる権利まで認めたものではない）と解する場合にのみ、本判示の結論は可能だとされる（相殺援用権の意義・効果については、右評釈のほか、兼子・連帯債務者の一人の受けた判決の効果（民事法研究Ⅰ）三八七頁以下参照）。なお、兼子博士は、相殺を有効とする判決の効力についても論及せられるが、これについては後述する（本書七八頁参照）。

六　免除とその効力

（一）　免除の絶対的効力と負担部分との関係　　連帯債務者の一人に対する債務の免除は、その者の負担部分の限度で他の債務者に対しても債権消滅の効果を生ずる（なおその場合に裁判所は、免除を受けなかった債務者との関係においても、負担部分の限度で債権者の請求を排斥しなければならない（【33】の判示第二点））とされているから（民四三七条）、本来は債務者間の内部関係にすぎない負担部分も、債権者の積極的行為を媒介として彼自身の満足を大きく左右する。このことははじめに述べたとおりである（本書一一二頁）。また、免除の絶対的効力性は、契約連帯においてのみならず、何ら意思共同関係のない場合における共同不法行為についても形式的な論理操作によって認められている（前出【22】がまさにこのケースだが、近時の学説はそれに反対する）。

ところで、表題の問題に関する最初のケースは、連帯債務者たるＸ（上告人）らが、本件債務の負担部分はすべて連帯債務者の一人Ａ（訴外）にあるから、債権者Ｙ（被上告人）がＡに対しその債務を免除すれば自分たちは全く免責されると上告したのであるが（ＹがＡの全債務を三十円で釈放したから、Ｙらの負担部分はそれが生ずる前にその根本が消滅したという主張は、こじつけだ）、合意による負担部分が認定されて上告棄却。

【43】「民法四三七条ニ所謂連帯債務者ノ負担部分ハ債務ニ付各債務者ノ利益ヲ受ケタル割合ニ応ジ或ハ債務者間ノ合意ニ依テ定マルベキモノナリ。而シテ原判決ニ認定シタル事実ニ依レバ、本件ハＡ一人ノ債務ニ付Ｘ等ガ連帯シテ主タル債務者ト同一ノ責任ヲ負担シタルモノナルニ依リ本件ノ債務ニ付利益ヲ受ケタルモノハＡ一人ナレバ、此場合ニ於テ債権者ナルＹガＡニ対シ本件債務ノ全額ヲ無制限ニ免除シタルトキハＸ等モ共ニ其責ヲ免ルベキ筋合ナレドモ、ＹガＡニ対シテ免除シタルハ債務者間ノ合意ヲ以テＡノ負担分トシタル三十円ノミナレバ、民法四三七条ノ法意ニ従ヒＹノＡニ対スル債務ノ免除ニ付連帯責任者タルＸ等ニ免除ノ効力ヲ有スルハＡガ免除ヲ受ケタル金額ニ止マルベキナリ。故ニ原裁判所ガ、Ｙニ於テＡニ対シ債務ノ一部ヲ免除シタルモ……Ｘ等ガ係争債務ノ全額ニ対スル責任ヲ免ルル理由ト為スヲ得ズト判断シタルハ相当……」（大判明三七・二・一民録一〇・六五）。

この【43】は、さらに次の【44】において先例とされた。ただし、今度の上告人は債権者Xであつて、連帯債務者の一人A（訴外）の債務を免除してもう一人の債務者Y（被上告人）に請求したところ、Aが全部の負担部分を負うのでYは免責されるとの抗弁を受けた事件である。上告理由は、債権者はふつう負担部分が平等だと考えて然るべきものだから「XガY主張ノ如クYニ負担部分ナキコトヲ知リテ免除シタリトノ理由ヲ説明セズ、単ニAニ対シテ免除シYニ負担部分ナケレバ之ニ因リテYハ全部免責セラレタリトノ判定ハ理由不備」だと原判決ヲ攻撃。しかし大審院は、負担部分が受益割合または特約で決まるとして【43】を引いた後、左のように上告を棄却。

【44】「而シテ債権者ガ連帯債務者ノ一人ニ対シ債務ノ免除ヲ為スニ当リ其債務者ノ負担部分ヲ知ラザルモ、之ガ為メニ其負担部分ニ影響ヲ及ボサザルヲ以テ、同条ニ依リ他ノ債務者ニ及ボスベキ免除ノ効力ニ消長ヲ来タスベキモノニ非ズ。……本訴金額ハYニ於テ毫モ費消セズA一人ニテ其全部ヲ費消利得シタル為メ之ガ弁済ニ付テモA一人ニテ全部ヲ負担スベキ契約両人間ニ成立シタリト云フニ在ルコトハ（筆者挿入――原）判文ノ明示スル所ナレバ、右両人間ノ負担部分ハAニ於テ本訴金額ノ全部ヲ負担シYハ毫モ負担スベキモノナキ事実ナルヤ明ナリ。然レバ債権者タルXガAノ負担部分ヲ知ラズシテ其債務ヲ免除シタリトスルモ、其免除ハAノ負担部分タル本訴金額ノ全部ニ付キYノ利益ノ為メニ効力ヲ生ジ之ニ因リテYハ全然其債務ヲ免レタルモノト謂ハザルヲ得ズ。故ニ本件請求ノ当否ハXガAニ対シ債務ノ免除ヲ為ス際其負担部分ヲ知リタル事実ノ有無ニ関セザルヲ以テ、原院ガ其事実ヲ説示セザリシトテ違法ニアラズ」（大判明四二・九・二七民録一五・六九七）。

下級審判例も、負担部分の限度で絶対的効力を生ずるとする点では右の諸判例と変りがないが、負担部分の認定において（東京地判明三八・六・二四新聞二九六・一三）、あるいは特約がないという理由だけで――つまり受益の割合を考慮せずに――（東京控判大一三・一一・一七新聞二三二七・一七）、それぞれ負担部分を平等と推定しているので、その立場では、免除を受けなかつた連帯債務者が全く免責される（＝裏返せば債権者が全く満足を得られない）という結果はこれを生じないわけである。

ところで、連帯債務者の一人に対して債務を免除すれば負担部分の限度で他の債務者も免責されるということは、だいたい債権者が余計なこと（ことに時効完成の場合との対比上）をするのがいけないのだとでもいえば話は別だが、近時の学説では、債権者の地位を不当に弱める（山中・連帯債務の本質（石田還暦私法学の諸問題Ｉ）三九一頁）、担保力を減殺することになる（於保・債総二〇九頁）という批判がなされるようになつている。これらの評価は、とりもなおさず連帯債務をもつて債権強効・債権担保の制度として把握せられるからにほかならず、正当であるが、この立場に立てば次のようなこともいえるのではなかろうか。

まず、判例上、免除の絶対的効力性は不動の鉄則とされているかどうかを検討する必要があるのではないだろうか。けだし、債権者の満足をともなわない債権消滅原因（免除もこれに属する）が、単に相対的効力しか生じない事由となる余地を認められるならば（ことに特約がなくとも）、債権の効力はもちろん強化されるからである。条件付免除・相対的免除の問題として、次に述べよう（㈡参照）。

もう一つは、免除の絶対的効力そのことにはふれずして、指摘される欠陥を是正する操作についてである。端的に負担部分平等原則を前面に出してきても役立つことは、右に紹介した下級審判例からもうかがえるが（ただしこの操作は一面のみを解決するにすぎない）、このほか、負担部分は債権者の認識がなければ平等と推定すべしとなす見解（【8】に対する東評釈や柚木・下三八頁）も、【44】の生む結果を緩和する点で積極的機能が認められるであろう（ただし判例はその立場ではない）。

（二）　条件付免除・相対的免除　「相対的債務免除」という言葉は熟しておらないが、相対的効力しか生じない債務免除という意味で用いたい（かかる相対的免除を有効とみるのは勝本・中⑴一五二頁、その有効性を頗る疑問だとするのは近藤＝柚木・中八四頁）。条件付免除とこれとをあわせて説くのは、実際の判例で両者が重なつているためにほかならない。なお、債務免除はわが民法では単独行為だから、「債権者ガ一部ノ連帯債務者ニ対シ他ノ連帯債務者ガ支払ヲ為サザル場合ノ外其請求権ヲ行使セザルコトヲ約スルガ如キハ、契約当事者タル債務者ニ対シ債権者ノ契約違反ノ場合ニ一ノ抗弁権ヲ付与スルニ止マリ債務ノ免除ニアラザルハ勿論」（大判大七・九・二六民録二四・一七三〇）ともされているが、次に掲げる判例の事案は二例とも、単独行為ではなく契約でありながら、これを債務免除の問題として論じたものである。

最初の判例は、「第一、被上告人Y（連帯債務者）ハ金七十五円ヲ上告人X（債権者）ニ支払ヒXハYニ対スル債権ヲ放棄スルコト。第二、Xハ他ノ連帯債務者ニ対シ債権全額ヲ請求シ得ベキコト。第三、若シYガ……Xノ他ノ連帯債務者ニ対スル債権ヲ喪失セシムルニ至ルトキハ、契約無効ト為リYヨリXニ授付シタル金七十五円ハ違約金トシテXニ於テ収得スベキコト」という契約がなされた場合に、Xが免除・弁済の絶対的効力性を理由に右契約の公序良俗違反・条件の不法を上告した事件であるが、原判決は破棄された。

【45】「抑モ連帯債務者ノ一人ニ対シテ為シタル債務ノ免除ハ其債務者ノ負担部分ニ付テノミ他ノ債務者ノ利益ノ為メニモ其効力ヲ生ズトハ民法四三七条ノ規定スル所ナレバ、如上Yノ受クル債務免除ハYノ負担部分ガ弁済金七十五円ヲ超過スルトキト雖モ其負担部分ニ付テ他ノ連帯債務者ヲシテ当然弁済ヲ免カレシムベキモノナリ。而シテ該規定ハ当事者相互ニ転償ヲ求ムルガ如キ無用ノ煩労ヲ避ケ併セテ其間ニ無資力者ヲ

生ジ不公平ノ結果ニ陥キル虞アルニ由ルモノナレバ、前顕契約ニシテXガYニ対シテ其支払金以外ノ債務ヲ免除スル代リニ他ノ連帯債務者ヲシテ免除ノ利益ヲ受ケザラシムル為メ、Yガ之ヲ通知シ若クハ援用セシムルコト等ヲ禁止シ附スルニ契約全部ヲ無効ト為シ違約金ヲ収得スル制裁ヲ以テシタルモノナランニハ、是レ正ニ法律ノ予期スル結果ヲ惹起スルコトヲ顧慮セザルモノニシテ、之ヲ以テ直ニ契約ノ目的ガ公ノ秩序又ハ善良ノ風俗ニ反スル事項ノ上ニ存スト ハ謂ヒ難キモ不法ノ条件ヲ附シタル法律行為ニシテ無効タルヲ免カレズ。然レドモ契約ノ条項ニシテ彼此相分離スルコトヲ得テ不法条件ヲ債務ノ免除ニ附シタルモノニアラザルニ於テハ、原院ハ須ク其理由ヲ判示シ契約ノ有効ナル所以ヲ明ニスベキナリ。然ルニ原判決ガ……公ノ秩序善良ノ風俗ニ反セザル有効ノ契約ナリト為シタルハ法則ヲ適用セザル不法アルモノ……」（大判明四〇・三・一八民録一三・三〇二）。

相対的免除の効力を疑問視する見解は、求償循環に反対する旨を述べつつこの【45】を引用しているが（近藤＝柚木・中八四頁）、転償の回避は、負担部分＝内部関係説（判例の立場）からすれば、次掲【46】に出てくるように必ずしも絶対的な要請ではない。なお、この【45】は古い判例であって事案が不明である（自己に有利な契約を結んだXが契約無効を主張した事情がそもそもわからぬ）。したがって、裁判所が、他の連帯債務者の無資力などの事情があってXに満足を得させるために民法四三七条を強調したのか、それとも、Xがどちらに転んでも債務額プラス七十五円を収得する結果を不当とみたため契約無効としたのか、が何とも推測できず、本判決の先例的妥当性の範囲も決しかねる。だが、それはともかくとして、少なくとも相対的債務免除（ことに他の債務者の援用を排斥すること）がそれ自身として不法条件と認定されておらず、他の事情（なかんずく違反の場合における制裁）を要件構成事実として併結させることによって契約が無効と判示されたようにみえる点には注意しておきたい。

次は、債務者の一人が免除を受けても他の者がこれを援用できないとする棄却判決であって、そのための理由として条件付免除が問題となつている事例である。判示事項や次に掲げる判決理由の省略点線以前の部分などをみると、純粋の連帯債務者についてであるようにみえるけれども、実は、債務者の一人とは主債務者A（訴外）であり、他の債務者とは連帯保証人X（上告人）である。事件の概要はこうである。債権者Y（被上告人）は、右Aとの間に、Aが弁済した後の残余債権をXに対し請求した場合にXがその債務を弁済することができないときは、YはAに対してはその債権を放棄する、という旨の示談契約を締結した。ところが、これを知つたXは、Yからの請求に対し、右の示談の効果として自己も免責されると抗弁。原審で敗訴したXは、負担部分のない（けだし彼は連帯保証人だから）自己がYに弁済しなければならぬとすれば、全部の負担部分を負うAはさらに自己に対し弁済しなければならないが、「斯ノ如キ示説ヲ為ス事ハ絶対ニ生ジ得」ないと上告。

【46】「連帯債務者ノ一人ニ対シテ為シタル債務ノ免除ハ其債務者ノ負担部分ニ付キ他ノ債務者ノ利益ノ為メニモ其効力ヲ生ズルコトハ民法四三七条ノ規定スル所ナレドモ、債権者ハ或条件ヲ附シテ負担部分ヲ有スル連帯債務者ノ債務ヲ免除スルコトヲ妨ゲザルガ故ニ、右ノ規定ハ債権者ガ負担部分ヲ有スル連帯債務者甲ニ対シ、負担部分ヲ有セザル他ノ連帯債務者乙ガ其債務ノ弁済ヲ為スコト能ハザルトキハ甲ノ債務ヲ免除スベキ契約ヲ為スコトヲ妨グルモノニ非ズ。而シテ叙上ノ契約ヲ為シタル場合ニ負担部分ヲ有セザル債務者乙ガ債権者ニ対シテ弁済ヲ為シタルトキハ、乙ハ甲ニ対シテ求償権ヲ行使スルノ結果甲ハ一面ニ於テ債権者ヨリ債務ノ条件付免除ヲ受ケタルニ拘ハラズ他ノ一面ニ於テ乙ニ対シテ弁償ヲ為サザル可カラザルノ結果ヲ生ズルコトアルベシト雖モ、這ハ連帯債務者間ノ内部関係タルニ止マリ斯カル結果ヲ生ズルコトアルノ故ヲ以テ叙上ノ契約ヲ為スコト能ハザルモノト云フヲ得ズ。……従テXハYガ主債務者タルAヲ条件付ニテ免除シタルコトヲ理由トシテ自己ノ当然負担スル債務ノ弁済ヲ拒否スルコト能ハザルヤ明ナリ」（大判大九・一〇・三〇民録二六・一八一一）。

この【46】は、Xの履行不能を条件としてAの債務を免除したことが明らかに認定されているから、Xが履行責任を負うことは当然であるとともに、いわゆる相対的免除そのことに関する適例とはいえない。ただ、【46】は、【45】の理由づけの一部と異なり、求償循環が禁ぜらるべき背理でないことを明言した点において先例的機能を発揮する余地があり、ことに連帯債務が保証債務とともに債権担保制度として把握されるようになれば（【19】参照）、判例法理の側からみて、絶対的効力を生じない一債務者の免除という構成（もちろんこれは債権の効力強化へと働く）も、あながち不可能だとは速断できなくなるのではないだろうか。

もっとも、相対的免除の能否はその後大審院には現われず、最近の下級審判決に、「本件においては、Y（被告・連帯債務者）に対し残額全部を請求する意思を明らかにしたものである以上、X（原告・債権者）のA会社（訴外・連帯債務者）に対してした『残額打切』の意思表示は、少くとも債務免除には属しない意思表示である……」「右『債務打切』の意思表示は、債務は債務として残しながら右会社に対してはもはやこれを請求しないという意思を表示したもの」（東京地判昭三一・七・二〇下級民集七・七・一九八一）との見解がみられるにすぎないが、これは、諸事情を考慮したうえでの認定であるとはいえ、考え方として注目に値いしよう（相対的免除については、なお椿・多数当事者の債権関係（民法例題解説Ⅰ）五〇―五一頁も参照）。

（三）　一部免除　　免除が債務額の一部について行なわれた場合に関しては、免除契約の当事者が債権者と第三者であっても有効だとする判例（大判昭一八・六・二法学一三・四・六一）もあるが、問題を含むのは次の判例【47】である。もっとも、事案は保証人間に連帯関係（いわゆる保証連帯）のある連帯保証であり、かつまた、内部的求償の前提として一部免除の効力いかんが争われているのであるが、便宜上ここで述べる次第である。

上告人Xは訴外ABとともに、訴外C会社が訴外D信託会社より五万円を借用するにあたつて連帯保証人となつたが、後に被上告人Y先代がこれに連帯保証人として加入し、結局四人の連帯保証人が立つこととなつた。D会社より請求を受けたY先代（途中でY自身となる）は、裁判所に調停を申し立てて二万円を弁済すれば残りは免除してもらうことに話が決まり、二万円を支払つてXらに償還請求した（なお各自の負担部分は平等）。原審は、二万円の四等分すなわち五千円ずつをXら各自に請求できると判示したので、Xは、「全クXノ意思ニ関係ナク連帯債務ヲ負担シ」たYの求償権の範囲については民法四六二条を類推適用すべく、原審は法則の適用を誤つていると上告。大審院はこれを斥けていわく、

【47】「本件消費貸借債務ハ主債務者タルC株式会社ノ為商行為タル行為ニヨリ生ジタルモノナルコト原審ノ確定セル所ナレバ、商法（旧）二七三条二項ニ依リ本件各保証人（合計四名）ハ孰レモ主債務者ト連帯シテ保証債務ヲ負担スルト共ニ保証人間ニ於テモ連帯ノ関係ヲ有シ且ソノ各自ノ負担部分ハ之ニ付特別ノ定ナキ以上原審判定ノ如ク平等ト解スベク、所論ノ如クY先代ノ保証ガXノ意思ニ関係ナクシテ為サレタレバトテソノ結果ニ差異ヲ生ズベキモノニアラズ。然ルニ原審ノ認定ニ依レバ、Y先代ハ債権者ヨリ本件金五万円ノ保証債務中元金三万円及利息全部ノ免除ヲ受ケタル上残金二万円ヲ弁済シタリト謂フニ在リテ、且本件保証ハ保証人間ニ於テ一種ノ連帯債務関係存スル場合ナルガ故ニ、右免除ノ他ノ保証人ニ及ボス効力ニ付テハ当然民法四三七条ニ従フベク、只本件免除ハ元金ニ付テハ一部ノ免除ナレバ、ソノ全部ノ免除アリタル場合ニ比例シタル割合ニ於テ、即チ金七千五百円ノ限度ニ於テY先代ノ負担部分ニ付他ノ保証人ノ利益ノ為ニモソノ効力ヲ生ジ（利息ニ付テハ全部ノ免除ナレバY先代ノ負担部分全額ニ付右効力ヲ生ズ）、而シテ右ノ如ク他ノ保証人ノ為ニ効力ヲ生ズル範囲ニ於テハ之ニ応ジテY先代ノ負担部分減少スルモノト解スルヲ相当トス。従テ免除ヲ受ケタル以後ノY先代ノ負担部分ハ結局元金五千円（利息ニ付テハ負担部分零ニ帰シ、元金ニ付

テハ当初ノ負担部分一万二千五百円ヨリ右七千五百円ヲ控除シタル残額）ナルコト算数上明ナルト共ニ、同先代ハ民法四六五条四四二条ニ従ヒ……二万円中自己ノ負担部分タル右金五千円ヲ超ユル残額金一万五千円ニ付X外二名ノ保証人ニ対シ平等ノ割合ニ於テ之ガ求償権ヲ行使シ得ベキモノトス。去レバ原審ガ右求償額ヲ算出スルニ付示シタル見解ハ当ヲ得ズト雖、原判決ノ主文ハ結局相当……」（大判昭一五・九・二一民集一九・一七〇一）（野田・判民九七事件、西村・民商一三巻四号六一三頁、岩田・法学新報五一巻六号九二九頁）。

本件は、はじめに言及したとおり連帯債務者（正確には、保証連帯の関係に立つ連帯保証人）相互の求償に関するケースである。しかもYは、C会社の重役を追い出して自ら取締役に就任しXらの知るところなく連帯保証人になつたという事情にあるため、Xが求償範囲について異を申し立てたのである。それゆえ、上告審における争点は、民法四四二条（民四六五条による準用）に基づき負担部分についてはあつさり求償を認めるか、それとも共同の連帯保証人Xらの意思を尊重し民法四六二条を類推適用して求償を制限するか、にあつた。その場合、大審院が前者を選びつつも「全部ノ免除アリタル場合ニ比例シタル割合」と述べて、一部免除の場合における民法四三七条の解釈論を定立したことは、連帯保証人の委託を受けずに（ないしその意思に反して）連帯保証人となつた者の求償範囲を若干でも制限しよう、とする意図に出たものとみることができないだろうか。

この判例の結果が求償制限になつていることは、次の柚木説の考え方と比較すれば明らかである。すなわち、教授によれば（柚木・下三〇頁）、免除額が全部であつても一部であつてもYの負担部分が零となることには変りがないので、本件Yの求償額は、彼が弁済した二万円を彼以外の債務者三人で割つた六千七百円弱になるのである（この説は、全部免除と一部免除とを区別しない建てまえのもとでは、すなおな解釈だと評されている。於保・債総二一〇頁註七）。もつとも、野田評釈の結論では、判例よりさらに求償額が少なくなるのであつて、Yは各自に対し二千五百円ずつ求償できるとせられるが、これは直接には右に述べた意味での求償制限を意図せられたものでない。同評釈の根底には、民法四三七条の実質的理由が債権者に対して負う額と他の債務者から求償される額とは一致しなければならない点にあるとする考えがあり、それから計算をいろいろな場合について試みられるのであるが、本件では二万円からYの負担部分（教授の見解では免除により全く影響を受けない場合に属するので一万二千五百円）を控除した額の三等分がYの求償額となるのである。西村・岩田両評釈は、結論においては判旨と同じく五千円ずつの求償を認められる（ただし理論構成はおのおの特徴ある考え方を示される）。

なお、この【47】に関しては、「担保力の減少を防止しようとする意図にでたものであるならば、この判例は必ずしも反対せらるべきではあるまい」（於保・債総二一〇頁註七）という評価がなされている。たしかに、免責の基礎となる負担部分が少なく算定されることは、債権者の側からすれば請求額が大きくなる点で重要な意味をもつ。しかし、このことは、将来の判例に期待される先例的機能であつて、求償事件に関する【47】の先例的評価そのものでないこともちろんであろう。

（四）　その他　まず、裁判上の和解と民法四三七条の関係について――。上告人Xは訴外Aほか二名とともに被上告人Yに対し連帯債務を負担していたが、Yは、Aに対して訴を提起し裁判上の和解により百三十五円の債務額を六十円に減縮した後、Xを訴求。原審は、裁判上の和解には相対的効力しかないという理由に基づいて、放棄分七十五円については弁済の義務を負わないとするXの抗弁を斥けた。そこで、Xは、放棄部分は債務免除だから四三七条によつてXにもその効果が及ぶ、とすれば原審は負担部分や免除の効力を審理しなければならないはずだ、と上告して容れられた（次出末川・杉之原両評釈とも賛成）。

【48】「債権者ガ連帯債務者ノ一人ト為セシ裁判上ノ和解ト雖其ノ内容ニシテ債務ノ免除ニ相当スル部分アルトキハ、其ノ部分ハ債務ノ免除トシテ之ガ効力ハ民法四三七条ノ定ムルトコロニ従ヒ当該債務者ノ負担部分ヲ限度トシテ他ノ債務者ニ及ブモノナリト解スルヲ相当トス。……原審ニシテXニ連帯債務アルコトヲ是認セル以上、更ニ進ンデ如上抗弁事実（筆者註——Xの免責）ノ有無並右A等ノ負担部分如何ヲ究明シ以テXノ債務ノ範囲ヲ確定セザルベカラズ。然ルニ……輙クXノ右仮定抗弁ヲ排斥シタルハ……違法アルモノ……」（大判昭二・一二・二四民集六・七二三）（杉之原・判民一一三事件、末川・論叢二〇巻四号九六二頁（↓破棄判例民法研究Ⅰ一九九頁））。

次は、債務免除契約のほかに代物弁済契約を締結する必要ありとされた事例である。事案・争点は明瞭ではないが、被上告人Yを除く連帯債務者が不動産および金七百円を債権者X（上告人）に交付して連帯債務の免除を受けると同時に、右不動産を時価で本件債務の代物弁済に充当する協定を結んだ。Xは、Yとの間で敗訴したのに不服をもつたためか、右交付は免除の対価であつて代物弁済といえない、時価によつて充当すべきではない、と原審の認定を非難。

【49】「代物弁済ニ依リ遂ニ債務ノ全部ガ消滅スベキトキハ更ニ連帯債務免除ノ契約ヲ締結スルノ必要ナキコト論ヲ俟タズト雖、前記ノ如ク代物弁済セラル可キ債務額ノ範囲ガ具体的ニ定マラザル時期ニアリテハ、連帯債務免除契約ノ外ニ代物弁済ノ契約ヲ為スコトハ其ノ必要ヲ見ル所ナルヲ以テ、前記両契約ノ認定ハ観念上毫モ矛盾スルモノニアラズ」（大判昭八・六・一七新聞三五七六・一五）。

七　混同とその効力

混同の効果については、代位つまり内部的効果に関する【81】が存するだけで、他は混同の成否に関する事例である。すなわち、【93】【94】は債権の分割転付の場合に混同とならない旨を述べており、また下級審の或る判決（東京控判昭一二・九・三〇新聞四二一〇・七）は、連帯債務者の一人が他の連帯債務者を相続した場合にその相続人が限定承認をしたときには「其ノ個有ノ債務ト相続ニ因リ承継シタル債務トハ各責任ノ範囲ヲ異ニスルニ依リ之レ等両債務ヲ存続セシムベキ実益アルヲ以テ、両債務ハ混同セザルモノ」としている。

八　時効完成および時効利益放棄の効力

（一）　序　民法四三九条は、連帯債務者の一人の時効が完成した場合に負担部分の限度で絶対的効力を認めているが、その趣旨は、時効完成者にその利益を受けさせ法律関係の決済を簡便にするためだと説明されている（決済の簡便化のみを挙げる見解もある）。ところで、この絶対的効力性の評価については、学者は、債権者が時効未完成でかつ資力ある債務者から弁済を受けるつもりで完成者の処置をしなかったような場合には、債権の効力・満足を弱体化させ妥当ではないとしている（たとえば、我妻・債総二〇三頁、於保・債総二一〇頁、山中・債総一七六頁）。この不当性は負担部分を知らない債権者においてことに顕著だとされるが（我妻・債総二〇四頁、松坂・債総一二六頁参照）、以下では判例に現われた諸場合を時効利益の放棄の効力も含めて眺めてみる。

なお、昭和一三年までは、商人Aと非商人Bとが連帯債務者になったときは時効期間に差異のあることから、Aの商事時効が完成した場合Bの責任はどうなるかが問題とされ、判例は、Bには民法（したがって民法四三九条）が適用せられAの負担部分についてのみその義務を免かれるとしていた（大判大五・一一・二二民録二二・二二六四。同旨――大判昭六・三・

（一七新聞三三二五九・一六）。けれども、商法三条二項の出現により、この問題はなくなつたと解される。

（二）　時効完成の絶対的効力と負担部分との関係　時効の絶対的効力は完成者の負担部分と結合しているので、大なり小なりあらゆる事例はこの表題のもとに属する。だが、承認や差押と競合する事案については、（三）にゆずり、その場合における負担部分との関係もそこで問題にしたい。

さて、ここの問題に関する判例の一つは、上告人XとA外Aとが連帯債務を負つていたところ、Aにつき時効が完成しXは債務承認（時効利益の放棄としての承認のようだ）をした場合に、Xに対し借金全額およびその利息の支払を命じた原判決を破棄したものである。すなわち、

【50】「連帯債務者ノ一人ノ為メニ時効ガ完成シタルトキハ其ノ債務者ノ負担部分ニ付テハ他ノ債務者モ亦其ノ義務ヲ免ルルモノナルガ故ニ、連帯債務者ノ一人タルAノ為メニ時効完成スルモ尚Xニ全額ノ支払義務アリト為サントセバ、須クAニ負担部分ナキコトヲ確定セザルベカラズ。然ルニ原判決ハ此点ヲ究明スルコトナク直ニXニ対シ貸金全額ノ支払ヲ命ジタルモノナルヲ以テ、審理不尽理由不備……」（大判昭一三・七・一一判決全集五・一六・一五、法学八・三・一一〇）。

次は、前出【6】の判示第二点であるが、負担部分が自己との特約なきかぎり平等だとする債権者Xの主張（これについては本書一一頁参照）に対して、次のように棄却した。

【51】「然レドモ民法四三九条ニ所謂連帯債務者ノ負担部分ハ、債務者間ノ合意又ハ各債務者ガ其債務ニ付実際利益ヲ受ケタル割合等債務者間ニ存スル事実ニ依テ定マルモノニシテ、之ヲ定ムルニ付債権者ノ意思ノ合致ヲ必要トスルモノニ非ズ。故ニ原判決ニ於テAトYトノ間ノ関係ニ於テハYニ何等ノ負担部分ナクAニ於テ其全部ヲ負担スベキモノナルコトヲ判示シ、以テAニ対スル時効ノ完成シタル以上ハYニ於テモ其債

務全額ニ付時効消滅ノ利益ヲ受ケ得ベキ旨説明シタルハ正当……」（大判大四・四・一九民録二一・五二四）。

この【51】についても、判例法理（すなわち負担部分＝内部関係説）では債権者に酷であることが指摘されるであろうが、評価はともかく実定法の解釈としては、全部の負担を負うAにつき時効が完成した以上、Yが全く免責されるのは当然ということにならざるをえない。ところが、右のYについて承認・差押など時効中断事由が存する場合には、判例の見解ではYの責任はどう解されるであろうか。項を改めてそれに移ろう。

（三）　時効完成の絶対的効力と時効中断との関係　これは、連帯債務者の一人には時効が完成したが他の一人に時効中断事由がある場合、判例は時効の絶対的効力性をどのように解しているか、という問題である。ここでももちろん負担部分が顔を出してくるが、事例のうち【52】【54】【55】は時効完成者が全部を負担していたケースである。

まず、承認があつた場合について――。その一つの事案は次のようである。被上告人Yは訴外AおよびBとともに訴外Cに対し連帯債務者となつていたところ（負担部分はBのみが全部）、上告人XはCからこの債権を譲り受けてYらに請求した。原審は、Bの時効が完成した以上全く負担部分のないYらの債務も四三九条により消滅するのは明白と判示したので、XはYを相手に、Yに債務承認の事実があり時効は中断されているから（ただし上告人は時効利益の放棄たる承認と時効中断事由たる承認とを混用しているが）、この点を審査しない原審は違法だと上告。しかし、次のように上告は棄却（次掲鳩山評釈は判旨に賛成）。

【52】「原判決ハ、本件連帯債務者ノ一人Bニ於テ債務ノ全部ヲ負担シ他ノ連帯債務者タルY外一名ハ負

担部分ナカリシモノト認定シ、債務ノ全部ヲ負担セル右Bニ対シ……消滅時効完成シタルヲ以テ負担部分ナキYハ民法四三九条ニ依リ其ノ義務ヲ免レタルモノト判断シタルモノナレバ、債権者Cニ対シYガ本件ノ債務ヲ承認シ之ニ因リ同人ノ本件債務ニ付時効ノ中断アリタリヤ否ヤノ所論事実ニ関シテハ之ヲ判断スル必要ナカリシモノト云フベシ。左レバ原判決ガ此ノ点ニ付判断スル所ナカリシハ当然ニシテ原判決ニハ所論ノ違法アルコトナク本論旨モ理由ナシ」（大判大一二・二・一四民集二・五一）（鳩山・判民一一事件）。

承認の効力に関するもう一つの判例は、前出【36】におけるX_1の上告を容れた部分であつて、X_2の時効完成により、承認をしたX_1もX_2の負担部分について免責されると判示する。すなわち、

【53】「又民法四三九条ノ規定ニヨレバ、連帯債務者ノ一人ノ為ニ時効完成シタルトキハ其ノ債務者ノ負担部分ニ付テハ他ノ債務者モ亦其ノ義務ヲ免ルルモノナルヲ以テ、前示ノ如ク（筆者註——【36】参照）連帯債務者ノ一人タルX_2ニ対シテハ時効中断ノ事由アルコトナク従テ同人ハ其ノ負担部分ニ付債務ヲ免ルト同時ニ、X_1モ亦X_2ノ負担部分ニ付債務ヲ免レタルモノト謂ハザルベカラズ。然ルニ原審ガ同人ニ対シテモ本件債務ノ全額ノ支払ヲ為スコトヲ命ジタルハ不法……」（大判昭二・一・三一新聞二六七二・一二、評論一六民法四一五）。

次は、差押が行なわれた場合について——。事案は、Y（被上告人）らおよびA（訴外）が連帯債務を負つていたところ、債権者X（上告人）はYに三度催告し遂に差押をしたが、その間にAの消滅時効期間が経過したもののようである。差押を受けたYはAの時効完成を理由に異議訴訟を起し、XはAの時効が中断されたと抗弁するが、たまたまAの負担部分が債務額の全部であつたため、XもYもオール・オア・ナッシングの岐路に立つている。原審で敗訴したXは、Yらにはしばしば時効中断を重ねていて、これはAの消滅時効の進行にも影響を及ぼすのに、原審がYらに対する時効中断事実の有無

に言及しなかつたのは理由不備・審理不尽と上告するが、上告棄却となる。すなわち、

【54】「民法四三四条四四〇条ノ規定ニ徴シ更ニ連帯債務ノ性質ニ稽フルトキハ、連帯債務者ノ一人ニ対スル時効中断ノ事由ハ履行ノ請求ニ限リ他ノ連帯債務者ニ其ノ効力ヲ生ズルモ、其ノ他ノ差押・債務ノ承認等孰レモ其ノ効力ヲ他ノ連帯債務者ニ及ボサザルコト明ナルヲ以テ、原審ガ連帯債務者ノ一人タルYニ対シテ為サレタル差押及所論分割弁済ノ事実ニ関シ何等顧慮スルトコロナク、他ノ連帯債務者タル訴外Aノ為消滅時効ノ完成シタルモノト做シタルハ当然ニシテ、論旨ハ其ノ理由ナシ」（大判昭六・一一・一四新聞三三七三・一〇、評論二一民訴三七、新報二八三・一三）。

最後の事例は、連帯債務者A（訴外）およびY（被上告人）のうち借用金を全部Aが利用した事案において、債権者Xが、自分はYに時効中断の手続をしているのに、これを判断しなかつた原判決は違法と上告したケースであるが、この場合も次のごとく棄却。

【55】「原判決ハ連帯債務者ノ一人タルAノ負担部分ハ全部ニシテ而モ同人ノ為メニ消滅時効完成セリト判定セルモノナレバ、他ノ連帯債務者タルYハ民法四三九条ニ依リ全然其ノ債務ヲ免ルベキモノニシテ、同人ノ為メニ時効ガ完成シタリヤ否ヤハ之ヲ判定スルノ要ナキモノトス」（大判昭二・一〇・一二新聞二七七三・一五）。

大審院が、時効完成の判断にあたつては、承認や差押のような時効中断事由が他の債務者にあつてもそれを全然考慮する必要がないとしていることは、それら事由が相対的効力しかない以上当然である。ただ、この判例法理によると、連帯債務者の一人が承認をしていてもそれは他の連帯債務者の時効完成を何ら阻止しないから、負担部分のいかんによつては【52】のように承認した者自身までが全く責任を免かれ、そのかぎりでは承認者自身に対する時効中断力もあつてなきに等しいものとなる。負担部分を基礎として絶対的効力を認めるには慎重なれとする見解が特に時効完成を例とすることは

（我妻・債総二〇一頁参照）、右の意味においても適切な警告である。

なおまた右の理に基づき、請求以外の時効中断事由は、(1)相対的効力しか生じないだけでなく、(2)はねかえつて時効非完成者の責任をも軽減し時には消滅させるものだから、請求の効力とそれら事由との較差は、問題の事由が他の共同債務者に対して影響するかどうかだけではないわけである。したがつて、民法四三四条にいわゆる請求と認められる（＝絶対的効力が認められる）か否かの判定には、慎重でなければならないはずであるが、前出【37】などでは、単純催告やそれに応ずる承認の問題が、民法総則的には当然であるところのロジックによつているとはいえ、やや軽く扱われすぎておるようにも思われる。別の機会にまた考えてみたい。

（四）　時効利益の放棄の効力　　時効完成後に連帯債務者の一人がその利益を放棄したときに関し、判例は学説と同様に、それが他の債務者に影響を及ぼさないとする。その根拠はもちろん民法四四〇条である。

まず、純粋の連帯債務者に関しては、「連帯債務者ノ一人ノ為シタル債務ノ承認又ハ時効ノ利益ノ放棄ハ他ノ債務者ニ対シ其ノ効力ヲ生ゼザルモノ」だから、一人が延期証を差入れても他の債務者X（上告人）には支払義務はないとする破棄判決（大判昭二・六・八新聞二七三一・一四）がある。ところが、上告理由は、連帯債務者の一人でない者に履行請求をしても他の債務者には影響を及ぼさない旨を主張しており、事実関係も明らかでないのみならず、公式の判例集にも収録せられなかつた。かくてか、時効放棄に関する先例として引用されるのは、通例（ただし近藤＝柚木・中九三頁）次の【56】となつている。

事案は、債権者X（上告人）先代が第一審相被告Aに甲乙丙三口の金銭を貸与し、被上告人Yは甲乙両口には連帯保証人、丙口については連帯債務者となっていたところ、XがYAに返還を訴求したものである。争点はAの延期証差入れの効力いかんであるが、原審は、AがX先代に対し時効完成後に右延期証を差入れても時効中断力はないと判示したので、Xは、Aの右行為は債務承認・時効利益の放棄となるから時効放棄に言及しなかった原判決は違法と上告。大審院はこれに対し、延期懇請者はもはや時効を援用しえないとして先例（大判大一〇・二・一四民録二七・二八五――遠藤・時効の援用・利益の放棄（本叢書民法8）【33】・）を引いた後、

【56】「……原審ガ時効完成後債務者ニ於テ債権者ニ延期証ヲ差入レタル事実アルトスルモ其ハ時効完成ノ効力ヲ左右セズトシ債務者ハ依然当該時効ヲ援用シ得ルガ如キ判断ヲ下シタルハ其ノ当ヲ得ザルコト洵ニ所論ノ如シト雖、……時効ハ両人ノ利益ニ於テ完成シタルニ其ノ中AノミガX債権者タルXニ対シ延期証ヲ差入レ時効ノ利益ヲ放棄シタルモノナリト云フニ在リテ、時効ノ利益ヲ放棄シタリト云フガ如キ事項ハ民法四三四条乃至四三九条ニ掲ゲタルモノニ該当セザルコト明ナルガ故ニ、如上債務関係ニ在リテハ同法四五八条四四〇条ニ依リ、連帯債務者ノ一人又ハ主債務者タルAガ時効ノ利益ヲ放棄スルモ其ノ事実ハ他ノ連帯債務者又ハ連帯保証人タルYニ対シテハ何等ノ影響ヲ与ヘザルモノト解スベキヲ相当トシ、Yハ本件ニ於テ時効ヲ援用シ得ベキモノナルコトハ多言ヲ要セザルヲ以テ、原判決ノ判断ハ結局相当……」（大判昭六・六・四民集一〇・四〇一）（石井・判民四二事件，勝本・法学一巻一二号五九七頁）。

として上告を棄却した。勝本評釈は、連帯保証の部分につき四五八条でなく四五七条によるべきだとされ（なお勝本・中(1)五二〇頁参照）、石井評釈は、相対的効力たることの理由づけが形式的にすぎると評されるが、いずれも判示の結論には反対でない。

判例法理では、右にみてきたごとく、連帯債務者Aの時効完成により同Bは承認（時効中断事由になるところの）をしていてもAの負担部分の限度で免責されるとともに、Bが時効完成後に承認をして時効利益を放棄してもAには影響しないが、もしBが債務全額についてAの時効完成後に承認をしたときはどうなるか。

これに関する判例【57】の事案は右Bについては時効未完成の場合のようである。被上告人Y（右設例ではB）および訴外Aは、負担部分三対二の割合で上告人X銀行から二千五百円を連帯して借りており、Aの商事時効完成後YがAの負担部分千円については自己も免責された旨の確認を求めた。争点は、YがAの時効完成後Xに対し元利全額を支払うという承認をしたことの効力いかんであるが、原審は、右承認はAの時効完成を知つてこれをしなければならないが、Yの知・不知に関する挙証をXが果さない本件ではYは時効完成を知らなかつたものというべく、したがつてAの負担部分につき時効放棄の効力を生じないとして、Yの請求を認容。そこでXは、時効の規定は一般に了知されているものと推定すべきだから、時効完成後「債務ノ全額支払ヲ申出ヅルガ如キハ反証ナキ限リ時効ノ完成事実ヲ知リ進ンデ時効利益ヲ放棄シ」たとみるべきで、原審は挙証責任の分配を誤つていると上告。これは次のように全面的に容れられた。

【57】「商事債務ガ五年ノ時効ニ因リ消滅スベキコトハ一応其ノ債務者ニ於テ之ヲ知レルモノト推定スベク、又数人ガ同時ニ連帯シテ金員ヲ借受ケ其ノ相互間ノ負担部分ノ明白ナル場合ニ於テハ、債務者ノ一人ハ他ノ債務者ノ為メ時効完成セバ其ノ者ノ負担部分ニ付自己モ亦其ノ債務ヲ免ルベキコトヲ了知セルモノト推定スベキニヨリ、弁済期ヨリ右時効期間ヲ経過シタル後ニ於テ連帯債務者ノ一人ガ債権者ニ対シ債務ノ元利金全額ニ付承認ヲ為シタル事実アリトセバ、其ノ当時既ニ他ノ債務者ノ為メ消滅時効完成シ居リタリトスル

モ、反証ナキ限リ右消滅時効完成ヲ知リテ承認ヲ為シ以テ他ノ債務者ノ負担部分ニ付自己モ亦債務ヲ免ルベキ利益ヲ放棄スル意思ヲ表示シタルモノト認ムルヲ相当ト為サザルベカラズ。然レバ本件ニ於テYガ……承認シタルハ、反証ナキ限リAノ債務ガ時効ニ因リ消滅セルコトヲ知リテ承認ヲ為シ以テAノ負担部分金千円ニ付生ジタル時効ノ利益ヲ放棄スルノ意思ヲ表示シタルモノト認ムルヲ相当トス。然ラバ原判決ガX銀行ノ立証ニ依リテハYノ承認当時同人ハAノ為ニ消滅時効完成セルコトヲ知リ居タルモノト認メ難キガ故ニ時効完成ノ事実ヲ知ラズシテ承認ヲ為シタルモノト認定セザルベカラズト為シタルハ、立証責任ヲ顛倒シ……タル違法アリ……」（大判昭一三・一二・一〇民集一七・二二〇二）（来栖・判民一二八事件、柚木・民商九巻四号七四四頁）。

この【57】は、「時効完成後の債務承認は時効完成を知ってこれをなしたものと推定する」との判例法理（遠藤・前掲「時効の援用・利益の放棄」【28】以下参照）を、そのまま複数主体の場合たる連帯債務に応用したものであり、応用の前提たる時効論の側ですでに種々議論のある問題である（柚木評釈はこの観点から論評される）。が、その点は別に述べられているから（遠藤・前掲書一四一頁以下参照）、ここでは、さような時効法理の応用を批判せられる来栖評釈を紹介しよう。それによれば、【57】冒頭の二つの推定（商事時効の了知と、自己の免責に関するYの了知）はかなり無理である。のみならず、本件でYが免責されるのは、Yの債務が時効消滅するからでなく、Aの時効完成の反射的効果としてそうなるのだから（執筆者注――ただし末弘・債権総論一三五頁参照）、Yが全額につき承認をしても時効利益の放棄は問題にならない。もちろん、Yの承認に判示のような効果を生ぜしめることは妨げないが、かかる意思は推定さるべきではないから、判示の結論を導くためにはXに挙証させるべきである。かくて来栖評釈は、判旨が、「誤を重ねて結局不当な結論に到達して了ったのでなからうか」と評される。

この【57】は、かように、時効論においてのみならず複数主体への応用においても疑問を投ぜられている判決であるが、少し附言しよう。連帯債務と時効をめぐる判例法理を本件にあてはめてみると、本件Aの時効完成は本件Yの承認による時効中断の効力を弱め時には全く無内容に貶しめ（【53】参照）、かつAYともに時効完成者であつたようなときにはYの時効利益放棄は相対的効力しか生じない（【56】参照）、ということになるが、これらの結果が債権者の満足に対してマイナスに働くことは多言を要しない。そのうえ、原審のように、時効利益の放棄は相対的効力しかないという側へ傾斜する理論構成を採るならば、いつそう債権弱化に向かつて拍車が掛けられることとなろう。これもやむなしとするなら話はまた別であるが、連帯債務は債権の効力を強化すべき制度であると観じ、そのような制度の目的・機能から時効完成の絶対的効力性を疑問とするかぎりでは、本判決の定立した命題は、本件事案についてはともかくとして、関連事項に関する判例法理の帰結する欠点を是正するという意味においてならば、必ずしも否定的に評価し去るべきものではないともいいえよう。

九　その他の事由の効力

民法は、四三四条ないし四三九条に掲げる以外の事由については（なお、以前には有力な異説もあつたが、現時の通説は、受領遅滞をもつて絶対的効力事由と解していることに注意せられたい）、それらが相対的効力しか生じない旨を定め（民四四〇条）、学説はかなりの該当事由を掲げている。判例に現われた事例としては、利害関係なき第三者の弁済（【31】参照）・差押（【35】参照）・承認（【37】【36】）・時効利益の放棄（【56】参照）および後述する債権譲渡の通知（【91】参照）や分割転付の効力（【94】【93】）がある。また、【54】では差押の蔭に入つてしまつているが、下級審判例によれば、連帯債務者の一人と債権者との間に成立した分割弁済契約も相対的効力しかなく（東京地判大四・一一・一九評論四民法七七九）、総債務者の各債務を保証した連帯保証人は右のような分割支払契約があっても即時に全額を弁済する責任を免かれない（東京地判昭五・一〇・一五新報二三七・二三）。

なお、判例は、連帯債務者の一人に生じた事由は原則として相対的効力しかないとする民法典の立場を大前提としているから（たとえば【36】【56】）、連帯債務者の一人が受けた判決（勝訴敗訴をとわず）にも相対的効力しか認めないものと考えられ（通説も、民法四四〇条および判決の既判力の人的限界を理由に、そう解する）、前出【42】も、相殺を有効とする確定判決が他の者に利益を及ぼさない旨を要旨として掲げている。しかし、この【42】と関連しては、自働債権をもってする相殺の抗弁を認容した判決は（民訴一九九条二項参照）、民法四三六条一項により他の債務者のためにも反射的影響を及ぼし、彼らもその判決を援用することができるとする見解が、有力な民事訴訟法学者によって唱えられ（兼子・前掲連帯債務者の一人の受けた判決の効果三七八頁以下）、民法学者の注目を受けている（我妻・債総二〇五頁、柚木・下三五頁、山中・債総一七八頁、於保・債総二一二頁註一三など）。

四　連帯債務の求償関係

一　求償権の発生要件

（一）　自己の出捐により共同免責を得たこと（民四四二条一項参照）　したがって、保証債務の場合（民四六〇条）とは異なり事前求償は認められぬ都合であるが（通説）、この点については判例がなく、実例では、弁済「其他自己ノ出捐」とは何かが問題となっている（なお求償権の発生時期と時効に関する破棄判例として、大判昭一〇・一二・二八裁判例九民事三六五、法学五・六・一一九）。

出捐の意義については次の棄却判決がある。連帯債務者の一人Y（被上告人）が債権者に新たな借用証書を差入れて旧債務を消滅させ、共同債務者X（上告人）に求償した事件のようであるが、原審が出捐に該当するとしてYの求償を認めたので、Xは、出捐とは「弁済又ハ之ニ比スベキ財産ノ現実的且

ツ有形的ナル損失ヲ云フモノ」だと上告。これに対し、

【58】「然レドモ出捐トハ広ク財産的犠牲ヲ供スルコトヲ云ヒ、其現実ノ出費タルト将タ義務ノ負担タルトヲ区別セザルガ故ニ、論旨ハ理由ナシ」（大判大七・三・二五民録二四・五三一）。

次に、いかなるものが弁済以外の出捐に属するか（つまり求償権を生じさせるものか）。判例【70】によれば、免除は自己の出捐による共同免責ではないが、次出【59】では、不確実な債権をもつて相殺した場合にも出捐した債権額について求償権を生ずるとされている。訴外A会社の発起人として株金払込について連帯債務を負うY（被上告人）は、会社の負担する債務の保証人ともなつていたが、この保証債務を履行して得た求償債権をもつて右連帯債務と相殺し、他の連帯債務者たるX（上告人）らに償還請求をした。原審で敗訴したXらは、Aよりとうてい求償を得られない無価値な債権を相殺に供したYに求償権を取得させるのは不当に利得させるものだと上告したが、棄却（次掲勝本評釈はもとより正当だとされる）。

【59】「縦令債務者ガ無資力ニシテ債権者（筆者註——Y）ガ其ノ債権ヲ全スルコト能ハザル場合ニ於テモ、斯ル債権者ガ其ノ債務者ニ対シテ負担セル債務ヲ消滅セシムル為ニ其ノ債権ヲ相殺ノ用ニ供シタルトキハ、債権者ハ其ノ相殺ニ因リテ消滅シタル対当額ニ於テ出捐ヲ為シタルニ外ナラザルヲ以テ、連帯債務者ノ一人ガ右ノ如キ相殺ニ因リテ債務ヲ消滅セシメタル場合其ノ出捐シタル債権額ニ付他ノ債務者ニ対シ求償ヲ為シ得ベキコト当然トス。従テ原審ガ、Yニ於テ訴外B商事株式会社ニ対シA会社ノ為ニ保証債務ヲ履行シタルニ因リテ右A会社ニ対シ有スル求償債権一万六千円ヲ以テ連帯債務者トシテ同会社ニ負担スル株金払込ノ債務ト相殺シタル事実ヲ認メ、右金額ノ出捐ヲ為セルモノト判示シタルハ正当……」（大判昭八・二・二八新聞三五三〇・一〇、法学二・一〇・九四）（勝本・法学三巻七号七三二頁）。

（二）　一部共同免責の場合における求償の許否　学説には異論がなお存するけれども（石田・債権総論一〇三頁、勝本・概論二五八頁、西村・債権法総論一二三頁）、判例は、一部弁済のあった場合、弁済額が弁済をした債務者の負担部分を超えなくても求償権を生ずるとしている。

事件は、上告人X_1X_2と被上告人Yの三名が、二口分合計一万一千二百円余につき平等の負担部分をもって連帯債務を負担していたところ（それゆえ各自は三千七百余円を負担する）、Yは、自己がなした五千六百円弱の出捐中三千二百二十円につき共同の免責を得てXに求償したものであるが、争点は右三千二百余円を三分して求償できるか否かに存する。Xは、肯定した原審に対し、求償は自己の負担部分を超える額についてのみ認められると上告する（ただしXの計算では三千七百余円から債権者の損失として免責した二千四百円弱につき三分の一たる八百円弱を控除しているので、Xの主張も、全然求償権なしとするのではなく、三千二百余円から、三千七百余円引く八百円弱を控除した残額二百六十円弱の二分の一だというのである）。しかし大審院は、負担部分が一定の割合であるとする概念構成をした後（これについては本書九頁参照）、上告を棄却（なお単独債務と連帯債務の弁済充当順位は【30】参照）。

【60】「抑モYハ……合計金五千五百八十七円ヨリ其単独債務額二千三百六十七円ヲ控除シタル残額三千二百二十円ヲ出捐シテ本訴ノ債務額中五千六百円ノ部分ニ付X等ト共同ノ免責ヲ得タルモノナルコト原審ノ確定セル事実ナレバ、其共同免責ノ為メニセル出捐額三千二百二十円中ニX及ビY等各自ノ負担ニ属スル部分アルコト前説明ノ如クナルヲ以テ、Yハ民法四四二条ニ依リX等各自ノ負担部分一千七十三円余ニ付求償ヲ為スヲ得ルコト洵ニ明白ナリ」（大判大六・五・三民録二三・八六三）。

そしてこの【60】は、後に再び、負担部分を超えない一部弁済は求償権を生じないとする上告を棄却するにあたり、先例として引用されている（大判昭八・二・二八新聞三五三〇・一〇――【59】と同一事件）。

二　求償権の範囲

（一）　序　求償権の範囲については、民法四四二条二項の意味内容がなかんずく問題とされているが、ほかにも注意すべき点なしとしない。

まず、序説で述べたように、求償は各自の負担部分を限度とすると解されており（本書九頁参照）、また四四二条一項と四四四条とにいわゆる負担部分の差異については後述するが（【75】参照）、連帯債務者の二人ともが全然その債務負担によつて利益を受けなかつた場合に、その一人Y（被上告人）が弁済したときは、もう一人たるX（上告人）に対していかなる範囲で求償できるか。Xは、現実の受益を限度として責任を負うべきものゆえ、借用人として名義を出していても求償に応ずべきいわれはないと上告。神社改築費としてXYの連帯借用形式にした後始末をXがYだけに尻拭いさせようとした争いだが、次のごとく棄却された。

【61】「原判決ハ……Y単独ニテ負担ス可キニアラズXモ亦分担ス可キモノタルコトヲ説示シタルナリ。而シテ両人ニテ連帯債務ヲ負担シ両人共ニ債務ヲ負担セルニ因テ利益スル所ナケレバ、弁済シタル一人ノミノ負担ニ帰スルノ理ナク他ノ一人ニ対シテ半額ヲ求償シ得ル筋合ナレバ、原判決理由ハ正当……」（大判明三九・七・五民録一二・一〇七九）。

次に、原債務者（単一人や複数の連帯債務者）の意思に反して連帯債務者となるのが有効であることは判例上確立しているが（四宮・前掲債務の引受【27】参照）、その場合における求償関係ことに求償範囲はどうなるであろうか。これを論じた判例はみあたらぬようであるが、このような事件が起つた場合、どういう判決がなされるかは、次のようなあい対立する要素があるため予想がつきかねる。

まず、(1)右のリーディング・ケースは、原債務者の意思に反する併存的債務引受の有効性を、保証の類推によつて帰結しており、(2)しかも併存的債務引受と保証、連帯債務と連帯保証は、判例に現われた認定をみると微妙な交流可能性があるが（前者については四宮・前掲債務の引受二八―二九頁、より詳しくは椿・判例債務引受法その一（大阪府大経済研究六号）三一―三二頁参照。後者については前出【2】参照）、この点を強調し、かつ債務者の意思は求償関係においてまで無視さるべきものではないとするならば、問題は保証に準じて考えるべきものとなつて、何らかの求償制限が肯定される（末弘・債総一三九頁、椿・判例債務引受法その三（大阪府大経済研究一一号）八九頁参照）。これに対し、(3)原債務者の意思に反する場合の求償制限は保証についてのみ規定されているのであつて（民四六二条二項）、だいたいがそのような制限は合理性を欠く（これは、きわめてザッハリッヒな立場を採らぬと、いいにくい）、(4)民法四五九条二項を眺めるときには、連帯債務の求償は常に委託ある保証として取扱う趣旨であること（なお西村・債総一二二頁参照）とすれば、併存的債務引受は判例上常に連帯債務の発生原因とされているから、原債務者の意思に反して連帯債務を負担したかどうかは、求償関係とりわけ求償範囲には全然影響を及ぼさず、かえつて引受の実質が他人の債務の担保たるときは常に全額求償を肯定すべきことになろう。

(二)　出捐額　判例は、出捐が自己が負担部分を超えなくても出捐額について求償できるとしていること前述のとおりであるが（【60】参照）、額の算定時期に関しては左の判例が存する。連帯債務者の一部Y_1 Y_2（被上告人）が購入していた某会社の株式を、連借していた同社の株式返還のため債権者に引渡し、他の連帯債務者X（上告人）らに求償した事件であるが、Y側は出捐当時の、XはYらの購入時の株式価格をそれぞれ標準にすべきだと争う。Xの右趣旨の上告は棄却（次掲、吾妻・安田両評釈とも賛成）。

【62】「連帯債務者ノ一人ガ債権者ニ対シ株券返還ノ義務ヲ履行シ他ノ連帯債務者ノ共同ノ免責ヲ得タル場

合ニ於テハ、其ノ義務履行ノ時即チ他ノ連帯債務者ヲシテ共同ノ免責ヲ得シメタル時期ヲ基準トシ其ノ時ニ於ケル株式ノ時価ヲ以テ他ノ連帯債務者ニ求償シ得ベキモノト解スベク、其ノ債務者ガ該株式ヲ他ヨリ買入レタル価格ヲ基準トシテ求償スベキモノニアラズ」（大判昭一三・一一・二五民集一七・二六〇三）（吾妻・判民一五八事件、安田・民商九巻六号一〇七頁）。

（三）　免責日以後の法定利息　　問題となつた一つは、四四二条二項の「免責アリタル日以後」という場合に弁済の日が含まれるかどうかである。古い下級審には、その日は支払の当日でまだ遅滞責任を負わないからとして否定したものがあるが（東京控判明四〇・七・六新聞四四三・一五）、大審院は、物上保証人の求償権（民三五一条↓民四五九条二項↓民四四二条二項）につき、右判決とは逆に問題を肯定した原判決を支持している。すなわち、

【63】「民法……四四二条二項ニ依レバ所論ノ如ク求償権ノ範囲ニハ免責アリタル日以後ノ法定利息ヲ包含スル旨ノ文言アリ。而シテ被求償者ハ其ノ免責行為ニ依リ免責アリタル当日ヨリ法定利息ニ相当スル利得ヲ収受スベキモノト解スルヲ相当トスルガ故ニ、右法定利息ハ免責アリタル当日ヨリ計算スベク、所論ノ如ク免責アリタル日ヲ除外シテ計算スベキモノニ非ザルナリ」（大判昭一一・二・二五新聞三九五九・一二、法学五・九・九九）（勝本・法学六巻八号九八二頁）。

勝本評釈は、民法一四〇条の解釈として免責日は算入せずと評され（なお同・中(1)一九九頁）、同旨の説は他にもみられる（近藤＝柚木・中一〇七頁）。このほうが筋がとおると思われるが、大審院がもし、遅延利息の計算においてわずか一日のことで原判決を破棄するにあたらないと考えて上告を正面から斥けたのだとすれば、絶対に不可能な構成ではないのだから、あながち非難さるべきではないだろう。

次に、法定利息の求償は、債権者から請求のあつた旨を通知することが要件ではない。大審院は、遅延利息は当然には生ずることなしとする償還義務者の上告に対していわく、

【64】「然レドモ連帯債務者ノ一人ガ民法四四二条一項ニ依リ債務ヲ弁済シテ共同ノ免責ヲ得タル場合ニ

於テハ、其弁済ヲ為シタルモノハ他ノ債務者ニ対シ民法該条ノ規定ニ依リ当然免責アリタル日以後ノ法定利息ノ求償権ヲ有スルモノニシテ、弁済者ガ弁済前債権者ヨリ請求ヲ受ケタルコトヲ他ノ債務者ニ通知スルコトヲ以テ右求償権ノ要件ト為スモノニ非ザルコトハ民法該条ノ明文上明カナリ……」（大判大四・七・二六民録二一・一二三三）。

（四）不可避的な費用その他の損害　まず、強制執行費用が不可避的な費用または損害になると判示したものに次の【65】がある（なお、右のような執行費用が不可避的費用に属するとする下級審は、東京控判大九・三・一九評論九民法三七七）。第一審が被上告人Y両名の求償に対し費用・損害いずれでもないとしたのを（長崎地判大四・六・二九評論五民法四四八）、原審がくつがえしてどちらかに該当すると判示したため（長崎控判大五・四・一八評論五民法六八九）、償還義務者たるX側は、無資力などで強制執行を受けてもやむをえない事情が認定される場合にはじめて不可避的費用になると上告したが、棄却。

【65】「Y両名ガ訴外A外二名ニ支払ヒタル金千二百七円ハ本件当事者双方ノ連帯債務ニ属スルモノニシテ、当事者双方ニ対シテ之ヲ弁済スベキ旨ノ確定判決アリタルニ何人モ任意ニ弁済ヲ為サザリシ結果其強制執行上Y両名ニ於テ支払ヒヲ為スニ至リタルコトヲ知ルニ足レバ、該強制執行ニ要シタル金四十円（弱）ハ民法四四二条二項ノ避クルコトヲ得ザリシ費用若クハ損害ニ外ナラズ。然レバ同費用ニ付テハ其他ノ事情ヲ判示スルコトヲ要セズシテX等ニ弁償義務アリト為スニ足ルベク……」（大判大五・九・一六民録二二・一七一六）。

この【65】は、それから約二〇年後、主債務者X_1（上告人）の委託を受けてX_2X_3（上告人）とともに連帯保証人となつた被上告人Yが、債権者に強制弁済をさせられてX_1らに求償した事件において（X_1には全額、X_2X_3には三分の一ずつ）、参考判例として引用されている。本件では執行費用だけでなく訴訟費用も問題となつているが、X側は、Y自身が保証債務の履行懈怠により支弁するにいたつたそれら費用の求償は許されないと上告。大審院はこれに対し、X_1の委託があつたことに争いがないから、

【66】「Yハ民法四五九条一項・四六五条ニヨリ同四四二条二項所定ノ範囲内ニ於テX_1等ニ対シ求償権ヲ行使シ得ベキモノナルトコロ、斯ク連帯保証人ノ一人ガ債権者ヨリ請求訴訟ヲ受ケタルニ主債務者及他ノ連帯保証人ハ之ヲ顧ミズシテ其ノ被告ニ立チタル一人ニ敗訴ノ判決ヲ受ケシメ仍テ債務ヲ履行スルノ余儀ナキニ立到ラシメタル場合ノ訴訟費用及執行費用等ハ、右四四二条二項ニ所謂避クルコトヲ得ザル費用其ノ他ノ損害中ニ包含スルモノト解スルヲ相当トスベシ。蓋斯ル費用ハ当該被告ニ取リ実ニ止ムヲ得ザルニ出デタル失費ナレバ主債務者ハ固ヨリ他ノ連帯保証人モ之ヲ分担スルヲ以テ公平ノ観念ニ適合スルト同時ニ、又之ヲ民法四五九条一項ニ於テ過失ナクシテ債権者ニ弁済スベキ裁判ノ言渡ヲ受ケタル保証人ヲシテ求償権ヲ行使スルコトヲ得セシメタル法意ニ徴スルモ其ノ然ルコトヲ窺知スルニ難カラザレバナリ」（【65】参照）（大判昭九・七・五民集一三・一二六四）（山田・判民九四事件、勝本・民商一巻二号三一四頁）。

と判示し上告を棄却した（山田評釈は賛成。勝本評釈も判旨大体正当だとされる）。ところで、この【66】は、【65】を参考判例としているが、それに比べて、要件を厳格にしている（柚木・下四一頁）、無過失を標準にするものと解される（【67】に対する四宮評釈）という評価を受けている。連帯債務者の一人ないし連帯保証人の支出は何でも求償できるとするのは行きすぎだし、しかも「避クルコトヲ得ザリシ」という表現は抽象的にすぎて曖昧だから、具体的な標準によってその内容・限界を定立する作業はもとより必要である。ただ、【65】と【66】をそれに直結させることができるかは別問題である。なるほど、【65】が執行費用は当然不可避的費用になるとも解される云い方を採ったのに対し、【66】では公平だとか無過失者の求償権が挙げられてはいる。しかし、それら【66】の論及は、償還義務の理由づけとして述べられただけで、不可避的費用の要件として判示したものとは読めない。と同時に、【65】も、執行費用は執行費用だという理由だけで当然不可避的費用に属する、と判示したものではない。むしろ、この二判例をみるかぎりでは（【65】と次出【67】とを比較するなら別だが）、自発的履行により強制執行などが事実上避けられたか否かを問わず、それら費用が「避クルコトヲ得ザリシ」ものになる場合として具体的事例を掲げたのだ、とみるにとどめておくほうが少なくともすなおではあるまいか。すなわち、【65】では、債務者全員が給付判決を受けながら誰もすすんで履行しなかつたためその一人が執行された場合に、また【66】にあつては、一人だけが訴求・執行されるのを他の者が見殺しにしていた場合に、裁判所は強制執行費用を不可避的出費と認定したのである、と。

もう一つの判例【67】は、抵当権設定費用が不可避的費用に入るとしたケースである（なお事件としては、督促費用・差押費用の求償も問題になつているが、原審は連帯保証人たる本件当事者間の損害担保契約的な合意の効力として、それらの求償を肯定し、本判決もそれを支持するので、省略）。事案は若干入り組んでいるが関係部分を要説すると、訴外Ａ組合のため保証人となつた訴外Ｂ銀行は、弁済をしてＡに求償したところ全部の満足を得られなかつたので、残額をＡの連帯保証人たるＸ（上告人）・Ｙ（被上告人）その他に請求し、弁済されなかつたため差押をした。Ｙは、Ｘらの懇請によりＢ銀行に返済することを承諾したが、当時現金がなかつたので訴外Ｃ銀行に自己所有の不動産を抵当に入れて借金し（その登記費用は十五円余）、計二千七百余円をＢに返済して差押解除を受け、Ｘらに対し求償権を行使する。原審は、この抵当権設定費用を四四二条二項の不可避的費用・損害に該当すると判示。そこでＸは、同条項の適用を受けるためには、Ｙが当時支払に充てる現金を有しなかつたこと、および抵当借金につきＸの承諾がありもしくはＸがその事情を知つていること、が要件になると上告。しかし次のごとく上告は棄却。

【67】「……原判決ニハＹガＸ等外四名ノ懇請ニ依リ訴外Ｂ銀行ニ対シ自己ノ出捐ヲ以テ前記賠償金ノ支

払ヲ為サントシタル当時現金ヲ所持セザリシ為、余儀ナク自己所有ノ不動産ヲ担保トシテ訴外C銀行ヨリ金円ヲ借入レタルコトヲ認定判示シアリ。而シテ右不動産ニ付抵当権ヲ設定スル際Yノ支出シタル登記費用ハ民法四四二条二項ニ所謂避クルコトヲ得ザリシ費用ト云フニ該当スルコト明ニシテ、斯ル費用ヲ連帯債務者ノ一人タルYガ支出シタル以上他ノ連帯債務者タルX等トシテハ、之ニ付承諾ヲ為シタルト否ト又其ノ事実ヲ知ルト否トヲ論ゼズ当然Yニ対シ之ガ償還ヲ為スベキモノト云ハザルベカラズ。之ト同一趣旨ニ出デタル原判決ハ正当ニシテ論旨ハ其ノ理由ナシ」（大判昭一四・五・一八民集一八・五六九）（四宮・判民三九事件、安田・民商一〇巻四号七一一頁、勝本・法学九巻八号八六一頁、岩田・法学新報四九巻一二号一八〇一頁）。

四宮評釈は、善管注意を標準として不可避か否かを判断すべきだとされ、現金不所持をとにかく根拠としたことは当を得ているとされる（【67】は【65】→【66】の発展線に続くように理解せられる）。また勝本評釈は、本件不動産が全債務者を通じ唯一の財産たる場合には不可避といえようとして、結論には賛成される。これに対し、岩田評釈は、抵当権設定以外に途がない事情を説示しなかった原判決は審理不尽であり、仮に右事情が証明できてもそれは本件に特別の事情であって一般に登記費用を不可避的費用とはいえないとされ、安田評釈は、民法四一九条が現存する以上、実際にどれだけ要ったとしても借入金の法定利息が不可避的費用の限界だと評される。なお参考までに記すと、最近の主要な教科書では、抵当権設定費用を不可避的費用に含めることに対して別段異論はみられない。

三　通知懈怠による求償権の制限

（一）　序　連帯債務者は、共同の免責を得るために出捐行為をするにあたつて、他の連帯債務者に事前および事後の通知をしなければならない。この通知が求償権の要件でないと解されていることはすでにみたとおりであるが【64参照】、これを怠るときは求償権の制限という不利益を受ける（民四四三条参照）。

いわば間接義務である。

ところで、この四四三条については、X（上告人）およびY（被上告人）両名が連帯債務者たる場合に適用される規定であつて、Yは債権者A（訴外）に対して債務を負うがXは負わない場合に適用される規定ではない、とするごく古い棄却判決【68】がある。抽象的に要旨を眺めると当然すぎる判示であり、しかも事案が不明で何とも確言しかねるが、名義上は借主でないけれども実質的には共同借主たるXは、名義上の単独借主Yからの求償に対し、Yの通知がないことを理由に争えず、またXA間に債務関係がない旨の確定判決をもつて対抗できない、としたもののようである。Yだけが債務者である本件では、XY間の決済は委任の問題として処理できる（したがつて通知は問題とならない）はずだが、原審が共同借受事実を認定しており、Xは多分それに藉口して四四三条の適用を主張したために、右のような要旨となつたらしい。判文は左のようである。

【68】「民法四四三条ハ……数人ガ債権者ニ対シテ連帯債務ヲ負担シタル場合ニ適用スベキ規定ニシテ、一人ハ債権者ニ対シテ債務ヲ負担シ他ハ之ニ対シ債務ヲ負担セザル場合ニ適用スベキモノニ非ズ。而シテ本件当事者ト債権者Aノ関係ヲ審按スルニ……本件当事者ハ嘗テAヨリ連帯債務者トシテ貸金請求ノ訴ヲ受ケYハ敗訴シタルモXハ債務者タル証拠ナシトノ理由ヲ以テ勝訴ノ判決ヲ受ケ其判決ノ確定シタルコトハ当事者間ニ争ナキ事実ナルノミナラズ、原判決モAトXトノ間ノ判決ハ其二人ノ関係ニ於テAガXニ対シ債権ヲ有セザル点ニ付キテハ確定力ヲ有スルモ本件当事者間ノ法律関係ニ付キテハ確定力ヲ有セザル旨ノ説明ヲ為シタルヲ以テ、本件当事者トAトノ関係ニ於テハYハAニ対シ債務者タルモXハ其債務者ニ非ザル事実ナルコトハ毫モ疑ヲ容レズ。原判決ハ其理由ノ前段ニ於テXモYト共ニAヨリ本件甲第一号証ノ金員ヲ借受ケタル事実ヲ認定シタルモ、是レ本件当事者間ノ関係ニ於テXモ実際借主ノ一人タル事実ヲ確定シタルニ止マレバ、

固ヨリ之ガ為メニXハAニ対シ連帯債務者ト為ルモノニ非ラズ。故ニ本件ハ……民法四四三条ノ規定ヲ適用スベキ場合ニ非ラザルモノトス」(大判明三五・四・一七民録八・四・六九)。

(二)　民法四四三条一項の事例　これについては、「他ノ債務者ガ債権者ニ対抗スルコトヲ得べキ事由」のいかんが問題になっているだけである(【68】は四四三条一般について立言するが、その実体は一項の場合のようにも思われる)。すなわち、

【69】「原審の認定するところに依れば本件連帯債務者の一人たる被上告人Yが其の債権者Aに弁済したる当時一〇年の時効期間進行中にして未だ完成し居らざりしものなるを以て、仮令Yが債権者より請求を受けたることを他の連帯債務者たる上告人Xに通知せずして弁済したりとするも、斯かる時効期間一部進行の利益は民法四四三条一項に所謂他の債務者が債権者に対抗し得べき事由と云ふに該当せざること言を俟たざるが故に、Xは同条に依り本件求償を拒否するを得ず」(大判昭一〇・三・七法学四・一〇・一一九)。

(三)　民法四四三条二項の事例　判例の一つは、本条項には免除の場合は含まれないとするものであって、前出【62】の判示第二点である。債権者に弁済したYより求償されたXは、すでに(昭和八年一二月に)借用株式の賃料を支払っているから、それに基づきYに対して有する求償権と相殺する旨を抗弁した(その支払にあたってYに対して通知をしたかどうかは不明)。ところが、原審では、右Xの賃料支払の時より以前(同年九月)にYは賃料支払義務の免除を受けているから、Xの支払った賃料については求償に応ずる義務がなく、したがって相殺の抗弁は成り立たない、とするY側の主張が容れられてX敗訴。そこでXは、免除を受けたことに関する通知さえあれば自分は義務なき行為を履行しなかったのだから、通知のない以上自分の弁済行為をもってYに対抗できると上告する。結果は棄却。

【70】「然レドモ民法四四三条二項ハ連帯債務者ノ一人ガ弁済其ノ他自己ノ出捐ヲ以テ共同ノ免責ヲ得タ

ル場合ニ限リ他ノ連帯債務者ニ通知ヲ為スベキ旨ヲ規定シ、本件ノ如ク連帯債務者ノ一人ガ債権者ヨリ債務ノ免除ヲ受ケタル場合ノ如キハ自己ノ出捐ヲ以テ共同ノ免責ヲ得タルニアラザルガ故ニ之ヲ包含セザル趣旨ナルコトハ同条ノ解釈上疑ヲ容レザルヲ以テ、同条ニ依拠シテ右免除ノ通知ナキヲ理由トシテXノ弁済ヲ以テ有効ナルモノト看做スベシト為ス論旨ハ到底採用ノ余地ナキモノ……」（大判昭一三・一一・二五民集一七・二六〇三）（吾妻・判民一五八事件、安田・民商九巻六号一一〇七頁、板木・法と経済一一巻五号六九二頁）。

吾妻評釈は、右条項が二重出捐の場合に善意出捐を有効とする趣旨であり、文意からも免除の絶対的効力からも免除には通知が予想されておらぬとして、判旨に賛成される。これに対し板木評釈は、有償出捐にかぎるのは皮相の見方であつて第一の（すなわちYの）免責行為は有償たるを要せず、またXは事前に通知すれば保護されるとみるべきだから、本件では相殺の主張がなされた以上Xの通知の有無につき審理しなかつた原判決を破棄すべきだと評される。また安田評釈は、免除も同条項に含まれるとしつつ、本件結論を導き出すためにはXの通知懈怠を理由にすべきだとされる。

ところで、判例の立場では、免除は四四三条二項の「自己ノ出捐」からそもそも除外されるので（学説は一般に、免除をもつて求償権の発生要件たる「自己ノ出捐」から除くので、この場合も判例と同説だろう）、【70】におけるXの通知があるかどうかは全く問題とならないが、二つの反対評釈の立場では、免除をそれ以外の有償出捐から区別しないため、Xの事前通知もなかつた場合にはどうなるのかが問題となる。また、免除や時効完成を除いた場合においては、一般の見解からも一債務者が事後通知を怠り他の債務者が事前通知を怠つた場合の効力いかんが、同じく問題とされている。この点に関する大審院判例はないが、現時の通説は、その場合には一般原則に帰つて第一の弁済のみが有効になると解しており（理由については我妻・債総二〇九頁、於保・債総二一九頁参照）、下級審にも、弁済した被告が事後の通知を怠り、相殺した原告が予め通知するのを怠つた事案につき、現通説と同じく「最初ノ弁済其他有償ナル免責行為ニ因リ債権ハ絶対ニ消滅シタルモノニシテ、其後ニ弁済・相殺其他有償ナル免責行為ヲ為シタル者ハ前ノ免責行為者ヨリ通知ヲ受ケタルト否トヲ問ハズ之ヲ有効ナルモノト看做スヲ得ザルモノ」だと判示した事例がみられる（神戸地判大一三・二・三〇新聞二二四四・二二）（なお【70】の安田評釈は、本判決を正当としておられるが、これは有償の免責行為に関する判示だから、有償・無償を区別しない同評釈にとつては適切な引用でない）。

四四三条二項に関するもう一つの判例は、善意で第二弁済をした債務者が「自己ノ弁済其他免責ノ行為ヲ有効ナリシモノト看做スコトヲ得」る範囲はすべての者に対してか過失ある第一の弁済者との間にかぎられるのか、についてである。それまでの通説に反する破棄判決であつたためか、「多少論文的な感」（後に掲げる戒能評釈の言葉）さえ受けるほど詳細な判示内容である。事案は左の引用文からも知ることができるが、連帯債務者の一人X（上告人）が、債権者Y（被上告人）からの強制執行に対して反対債権でもつて相殺する旨の異議を申し立てたことが発端となつて、Xの反対債権が存するかどうかの争いとなつた事件であり、大審院は、これを肯定するために「免責行為競合の効果」を論じた次第である。

さて、原判決は、これもまた引用文中にみられるが、因果関係の観点からYに対するXの損害賠償請求権（すなわち右の反対債権）を否定した。そこでXは、YがXY間の更改・免除の結果何ら訴外C（連帯債務者の一人と表示されているが連帯保証人のごとくであり、問題の第二の免責行為をした者）に対しては権利を有しなくなつたのに彼に強制執行をすれば、CがXに求償してくることは当然Yの予見すべきところだから、Cの善意・悪意は、Yに対するCの弁済とCに対するXの償還との間における因果関係に何ら影響しない、と上告。

判文は珍しいほど非常に長いものであるが、その中段（執筆者の改行による中間部分とその前後の省略部分）は、明らかに本件事案を想定してではあるけれども、設例によって旧通説の欠陥を指摘し自己の採る相対的効果説を正当づけるにすぎない。すなわち、その要項は、旧通説（＝絶対的効果説）では、(1)第一の免責行為が債権者に有利な更改であっても無効となるために、債権者にとり不当であり、(2)第一の免責行為者に償還した債務者は後に第二の免責行為者にも償還すべきこととなって、彼は二重弁済の危険を負わされ、(3)第二のみならず第三の免責行為もあったときには収拾がつかなくなるが、相対的効果説を採るならばこれらの欠陥を生じない、とする点にある。この中段の説示は右に注意したごとく設例に基づいており、かつ(1)(3)は引用する必要もないが、(2)は相対的効果説の内容に論及する点で重要と思われるから、(1)(3)の部分を省略するだけで他は全部引用しておこう。すなわち、

【71】「連帯債務者ノ一人ガ弁済其ノ他自己ノ出捐ヲ以テ共同ノ免責ヲ得タルコトヲ他ノ債務者ニ通知スルコトヲ怠リタルニ因リ他ノ債務者ガ善意ニテ債権者ニ弁済ヲ為シ其ノ他有償ニ免責ヲ得タルトキハ、其ノ債務者ハ自己ノ弁済其ノ他免責ノ行為ヲ有効ナリシモノト看做スコトヲ得ルハ民法四四三条二項ノ規定スル所ナリ。蓋右規定ハ免責ノ通知ヲ怠リタル過失アル求償権者ノ求償権ヲ制限シ過失ナキ被求償者ヲ保護スル趣旨ニ出デタルモノナルコト明ナリ。従テ第二ノ免責行為ヲ為シタル債務者ガ自己ノ免責行為ヲ有効ナリシモノト看做ス権利ヲ行使シタルトキハ、第一ノ免責行為ヲ為シタル債務者ノ求償ヲ拒ミ却テ反対ニ之ニ対シテ求償ヲ為スコトヲ得ベキハ毫モ疑ヲ容レズト雖、第二ノ免責行為ヲ為シタル債務者ガ叙上ノ権利ヲ行使シタル効果ガ単ニ右ノ当事者間ニ止マリ当事者間ノ相対的関係ニ於テノミ第二ノ免責行為ヲ有効ナリシモノトシテ求償関係ヲ整理セシムルモノナリヤ、将タ其ノ効果ハ単ニ当事者間ニ止ラズ債権者及他ノ債務者ニ対スル関係ニ於テモ第一ノ免責行為ヲ無効トシ第二ノ免責行為ヲ有効ナラシムルモノナリヤニ付テハ多大ノ疑ナ

キ能ハズ。而シテ我邦ニ於ケル通説ハ後説ヲ執ルモノナルガ如シト雖、叙上ノ規定ガ前示ノ如ク過失ナキ被求償者ニ対シ過失アル求償権者ノ求償権ヲ制限セントスルモノナル立法ノ精神ニ鑑ミルトキハ、寧ロ前説ノ如ク解スルヲ以テ妥当ナリト為サザルベカラズ。惟フニ後説ヲ以テ是ナリトセンカ債権者又ハ他ノ債務者ニ対シテ甚ダ苛酷ナル結果ヲ生ズル場合ナキニ非ズ。例之第一ノ免責行為ガ債権者ニ有利ナル更改契約ナリト仮定センカ……

……（前説によれば）第一ノ免責行為ハ……債権者ニ対スル関係ニ於テハ無効ニ非ザルヲ以テ、前示設例ノ場合ニ於テ債権者ニ対シテハ第一ノ免責行為タル更改契約ハ依然トシテ有効ニシテ第二ノ免責行為ハ無効ナリ。而シテ此ノ場合ニ於テ第二ノ免責行為ヲ為シタル債務者ガ、第一ノ免責行為ヲ為シタル債務者ニ対シ自己ノ免責行為ヲ有効ナリシモノト看做ス権利ヲ行使シ其ノ求償ヲ拒絶シ却テ反対ニ之ニ対シ求償ヲ為スコトヲ得ルニ拘ラズ、尚債権者ニ対シ第二ノ免責行為ノ無効ナルコトヲ理由トシテ不当利得請求権ヲ保有セシムルコトハ毫モ其ノ要ナキヲ以テ、第二ノ免責行為ヲ為シタル債務者ガ叙上ノ権利ヲ行使シタルトキハ賠償義務者ノ代位ニ関スル民法四二二条ノ規定ニ準ジ右不当利得請求権ハ当然第一ノ免責行為ヲ為シタル債務者ニ移転スルモノト解スベク、従テ第一ノ免責行為ヲ為シタル債務者ハ債権者ニ対シ第二ノ免責行為ニ因リ債権者ノ取得シタル利得ノ償還ヲ請求シ得ベク、又債権者ノ行為ガ第二ノ免責行為ヲ為シタル債務者ニ対シ不法行為ヲ構成スル場合ニ於テハ、其ノ損害賠償請求権ハ右債務者ガ叙上権利ノ行使ニ因リ損害ヲ免レタル限度ニ於テ第一ノ免責行為ヲ為シタル債務者ニ移転スルモノト解セザルベカラズ。而シテ斯ル解釈ヲ執ルトキハ毫モ後説ノ如キ債権者ニ苛酷ナル結果ヲ生ズルコトナシ。又前示設例ノ場合ニ於テ他ノ債務者ニ対スル関係ヲ見ルニ、第二ノ免責行為ヲ為シタル債務者ハ他ノ債務者ニ対シテハ求償ヲ為スコトヲ得ズ、唯第一ノ免責行為ヲ為シタル債務者ニ対シ求償ヲ為シ得ルト同時ニ、同人ガ他ノ債務者ニ対シ求償ニ因リテ取得シタル利得ヲ不当利得トシテ償還ヲ請求シ得ルニ止マルモノナルヲ以テ、毫モ後説ニ於ケルガ如ク他ノ債務者ニ対シ二重弁済ノ危険ヲ負担セシムルガ如キ結果ヲ招来スルコトナシ。……

……之ヲ要スルニ、第二ノ免責行為ヲ為シタル債務者ガ其ノ免責行為ヲ有効ナリシモノト看做シタル効果ヲ以テ絶対的ニ第一ノ免責行為ヲ無効ナラシムルモノト解スルハ、過失アル求償権者ノ求償権ノ制限ニ関スル規定ヲ必要以上ニ拡張シテ解釈スルモノニシテ当ヲ得タルモノニ非ザルナリ。本件ニ於テ原判決ノ確定シタル事実ハ、X及訴外ABCハ連帯債務者トシテYニ対シ金二千五百円ノ損害賠償債務ヲ負担シタル処、大正一三年三月中X及ABノ三名トYトノ間ニ右二千五百円ノ損害賠償債権ヲ金一千二百円ニ減額シ其ノ余ハ之ヲ免除シ、内金千円ニ付テハ之ヲ準消費貸借ノ目的トシテYヲ債権者トシX及訴外A等ヲ連帯債務者トシタル債務者ノ交替ニ因ル更改契約成立シ且X及ABニテ引受ケ、残金二百円ニ付テハ同月末日迄ニ弁済ヲ為スベキ旨ノ契約成立シ、右債務ノ免除及更改契約ハ連帯債務者タルCニ対シテモ其ノ利益ノ為ニ効力ヲ生ジCハ右二千五百円ノ損害賠償債権ニ対スル一切ノ免責ヲ得タルモノナリ。然ルニYハ大正一三年六月頃Cニ対シ前記債権ニ基キ強制執行ヲ為シタル処、XハCニ対シ免責ノ通知ヲ怠リタル為Cハ善意ニテYニ対シ金千円ヲ弁済シ、其ノ求償ノ為Xニ対シ大正一四年七月頃其ノ訴訟ヲ倉吉裁判所ニ提起シX敗訴ノ欠席判決ヲ受ケタル結果Cニ対シ金一千百十六円ヲ支出シタリト謂フニ在リテ、右事実ニ依レバ、Cノ為シタル第二ノ免責行為ハ第一ノ免責行為ヲ為シタルXガ更改契約ニ因リ債務ノ消滅シタルコトヲ通知スルコトヲ怠リタルガ為Cニ於テ第二ノ免責行為ヲ有効ナリト看做シタルモノナルコト明ナリト雖前段説明ノ如ク其ノ効果ハ当事者間ニ止マリ、債権者タルYトX等ノ間ニ為シタル更改契約ヲ無効ナラシムルモノニ非ザルノミナラズ、XハYニ対シCノ為シタル第二ノ免責行為ニ因リテYガ取得シタル利得ヲ不当利得トシテ償還ヲ請求スルコトヲ得ベク、又YガCニ対シ何等ノ権利ナキニ拘ラズ之ニ対シテ強制執行ヲ為シタル行為ガ不法行為ヲ構成スル以上損害賠償債権ヲ取得スルコトモ亦之ヲ肯定シ得ザルニ非ザルヲ以テ、原判決ガ、Xニ於テCノ求償ヲ拒絶スルコトヲ得ザリシハXノ免責ノ通知ヲ為サザリシ過失ニ因リ自ラ招キタル損失ナレバY

ノCニ対スル請求行為トノ間ニ相当因果関係ノ連絡アリト認メ難シトシテXノ債権ノ存在ヲ否定シ去リタルハ失当ニシテ、論旨理由アリ」（大判昭七・九・三〇民集一一・二〇〇八）（戒能・判民一五八事件、勝本・法学二巻八号九一二頁）。

として原判決を破棄差戻。学説は、勝本・戒能両評釈のみならず現在では一般に、判例の相対的効果説にしたがつている。その論拠は、善意の二重出捐者を保護するためには、相対的効果説でもつて必要かつ十分だという点にある。

四　償還無資力者がある場合の求償問題

（一）序　これは、求償がなされた場合に償還する資力のない連帯債務者があるときは、誰がどういうふうにしてその者の負担すべき部分を分担するかという問題であつて、「求償権の拡張」とも称されている。民法は、一般の場合（民四四四条）と連帯の免除がなされた場合（民四四五条）の二つに分かつて規定を設けているが、判例で比較的多く問題とされているのは、四四四条にいわゆる「各自ノ負担部分ニ応ジテ」という言葉の意味であつて、ことに【72】ないし【74】の判示事項は早くから判例法として固まつているようにみえる。

なお、前出【5】によれば、四四四条および四四五条は連帯債務者のために連帯保証人となつた者には類推適用されないが、そのケースは連帯の免除が原因となつているから、後述（四）にゆずる。

（二）四四四条の負担部分をめぐる事例　主として問題となつているのは、求償を受けた有資力者に全然負担部分がなかつた場合（ことに無資力者のみが全部の負担部分を負う場合）、彼は分担請求に応じなければならないか、またそれを肯定するとしたら割合はどうなるかであるが、年代順に紹介していこう（なお、いずれも上告棄却となつている）。

最初のケースはこうである。X（上告人）・Y（被上告人）および訴外ABが負担部分の特約なく連帯で金銭を借用し、その金はABだけが使った。Yは、債権者より訴求されて全部弁済をし、Xに求償。ABはともに無資力であった。原審はXの半額分担を命じたため、Xは、四四四条の適用にはまず四四二条一項における負担部分の有無を決定しなければならぬが、判例【43】の負担部分論によればXには全く負担部分がないから右の分担義務を負わないと上告。これに対し、

【72】「XYハ共ニ右連帯債務ニ付キ利益ヲ受ケタルコトナキヲ以テ之レニ基ク負担部分ナシト雖モ、総テ同地位ニアルXYニシテ偶々Yガ債務ヲ弁済シタルガ故ニY独リ之ヲ負担スベキニアラズ、Xモ共ニ分担ノ責ニ任ゼザルベカラザルハ勿論ナリ。而シテ其間別段ノ意思表示ナキ限リハ双方平等ノ割合ヲ以テ之ガ負担ヲ為サザルベカラザルハ民法四四四条ノ精神ニ依リ当然ノ筋合ナリトス。故ニ原院ガ……連帯債務内部関係ニ付全然同一ノ状態ニ在ル本件当事者ハ右不償還部分ヲ分担スベキ責任アル旨判示シタルハ誠ニ相当……」（大判明三九・五・二二民録一二・七九二）。

次は、連帯債務者として示されているが、二人の連帯保証人X（上告人）およびY（被上告人）間の紛争である。原審は、XとY（正確にはその前主）が内部的にはともに負担部分がなくすべて同一地位にあるからとして、【72】と全く同じロジックにより、主債務者が無資力であったため平等分担を命じた。そこでXは、本件のように有資力者の負担部分が零の場合には四四四条を適用すべきでない、同条は例外規定ゆえ厳格に解すべし（これは四六五条による準用をさすものか？）、と上告。だが棄却となる。

【73】「按ズルニ、民法四四四条ニハ連帯債務者中ニ償還ヲ為ス資力ナキ者アルトキハ其償還スルコト能ハザル部分ハ求償者及ビ他ノ資力アル者ノ間ニ其各自ノ負担部分ニ応ジテ之ヲ分割ストアリテ、連帯債務者中

ニ償還ヲ為ス資力ナキ者ヲ生ズルトキハ其償還スベキ部分ハ他ノ資力アル者ノ間ニ各自ノ負担部分ニ応ジ之ヲ分割シ、負担部分多キ者ヲシテ多ク分担シ負担部分少キ者ヲシテ少ク分担セシメ又負担部分相等シキ者若クハ共ニ負担部分ナキ者ノ間ニ於テハ平等ニ分担セシムルノ法意ナルコトハ之ヲ右法文ノ文意ニ徴シテ明瞭ナルノミナラズ、各自ノ負担部分ナキ連帯保証人ノ一人ガ債務ノ全額ヲ弁済シ他ノ保証人ニ対シ其求償ヲ為ス場合ニ於テ民法四六五条ガ同四四四条ノ規定ヲ準用シタルニ依ルモ亦明瞭ナリ」（大判明四三・二・二五民録一六・一四九）。

この【73】は次の【74】により先例とされている。訴外Aの借金にXYが連帯債務者となり、全額を強制執行により弁済したYは、Aが無資力のためにXに半額補償を求める。原審はYの請求を容れたので、Xは石坂博士の説（日本民法・債権Ⅲ八八八頁参照）を引いて上告（なお次掲石坂評釈は、負担部分のない者に分担させえないとして自説を再確認される）。

【74】「民法四四四条（ハ）……求償者及ビ他ノ資力アル者ニ全ク負担部分ナキ場合ニ付テ明言セズト雖モ、負担部分アル者ニ其各自ノ負担部分ヲ超ヘテ損失ヲ分担セシムル同条ノ規定ハ畢竟公平ヲ旨トシタルモノニ外ナラズシテ、其精神ヨリ推シテ考フレバ求償者及ビ他ノ資力アル者ニ全ク負担部分ナキ場合ニ於テハ又其公平ノ観念ニ基キ此等ノ者ヲシテ無資力者ノ償還スルコト能ハザル部分ヲ平等ニ分担セシムルノ法意ナリト解スベキモノトス。是レ本院判例ノ旨趣ニ於テ是認スル所ナリ（【73】参看）。蓋斯ノ如キ場合ニ於テハ求償者ト他ノ資力アル者トハ孰レモ負担部分ナキヲ以テ全ク同等ノ地位ニ在リ、然ルニ……無資力者ノ為メニ生ジタル損失ハ独リ求償者ノミニ全部之ヲ負担セシメ他ノ資力アル者ニ毫モ之ヲ分担セシメザルガ如キハ公平ノ観念ニ反シ立法ノ旨趣此ニ在リト解スベキニアラザルヲ以テ、負担部分相等シキ者ノ間ニ平等ニ之ヲ分担セシメタル規定ノ旨趣ハ又等シク負担部分ナキ者ノ間ニ於テモ平等ニ之ヲ分担セシムルノ法意之ニ包含スルコトヲ推知スルニ足レバナリ」（大判大三・一〇・一三民録二〇・七五一）（石坂・法協三四巻二号三四一頁）。

そして【74】はさらに後日の判決（大判大一二・五・七新聞二一四七・二〇、評論一二民法二九九）で引用されているが、下級審判決も右の大審院諸判例と同旨であり（たとえば、大阪地判年月日不明（明四五レ七七号）新聞八一五・二一や大阪控判大一四・一〇・二四新聞二四七六・一二）、現時の学説もこれらに賛成している。

最後に、以上は無資力者のみが負担部分を有する（ないし少なくとも訴訟当事者は負担部分を有しない）場合であつたが、求償者に若干の負担部分があるときはどうなるか。これに関する判例は、被上告人Yは四、訴外Aは六、上告人X_1X_2はいずれも零、という割合の負担部分をもつて連帯債務を負担していたところ、Aに償還資力がなかつたため、弁済した求償者Yと被求償者Xとの間で四四四条の争いを生じた事件である。原審は、Yが自己の負担部分に属する金円を支払つた以上は、Aの負担部分については全く負担すべき部分がなくなり、この点では元来負担部分のないX_1X_2と同じになるから、という論法で三名の平等分担を認めたが（長崎控判昭一〇・一〇・一五新聞三九二四・一一、新報四三三・一一）、大審院は次のように述べて原判決を支持した。すなわち、

【75】「……Yが右債務の弁済を為したる以上、同人は民法四四二条の規定に依りAに対して其の負担部分に付求償権を有するもX_1X_2両名に対しては同条に依る求償権を有せざること勿論なり。然れどもAが無資力にして償還すること能はざるときは、其の償還不能の部分に付Yは同法四四四条の規定に依りてX_1X_2両名に対して分担を請求し得るや否やは自ら別個の問題なりとす。而して同条の規定に依れば連帯債務者中に償還を為す資力なき者あるときは其の償還不能の部分は求償者及び他の資力ある者の間に其の各自の負担部分に応じて之を分割するものなるが故に、其の所謂負担部分は右償還不能の部分に対する負担部分にして、本来の連帯債務に対する負担部分即ち四四二条に所謂負担部分とは自ら別個の負担部分なること当然自明のことに属す。故に四四四条に所謂負担部分は、求償者及び他の資力ある者の間に別段の合意其の他特別なる事

情なき限り其の負担部分は平等なるものと解するを相当とす。されば無資力に因る償還不能の部分に付求償者及び他の資力ある者の間に別段の合意其の他特別の事情あることの主張なかりし本件に於て、原審がAの無資力による償還不能の金八百四十円を求償者たるY及び資力あるX_1X_2両名にて平等に分担すべきものと為し……たるは洵に相当なり」（大判昭一二・一・二〇法学六・五・一二一）。

この【75】は、【72】が答えなかった上告理由（すなわち四四二条の負担部分と四四四条の負担部分との関係）に対する解答ともなっているが、四四四条が負担部分多き者には多く、少ない者には少なく分担させる法意だとする先例【73】とは適合せず、また、負担部分のない者（X_1とX_2＝右の）は何ら分担せずとする学説（近藤＝柚木・中一二五頁、勝本・中(1)二二六頁我妻・債総二〇九頁、於保・債総二一九頁など）とも対立する。しかし、【73】の右説示は傍論であり、かつ【75】の見解も解釈上絶対に不可能というわけではないから、【75】が将来において先例にならないとは断定できぬであろう（なお右の学説は、一方では石坂説的な考え方を棄てずに原則とし、他方例外として判例法理も承認するようだが、その論拠が公平に求められるならば【75】を必ずしも排斥できない）。

なお、戦前外地の判例には、無資力者が負担部分あるAだけでなく負担部分なきBCD中Bも然る場合につき、Aの償還不能部分をBCDが平等分割し、Bの償還不能部分をCDが平等分担すべきである、という理論構成を示すものがみられる（朝鮮高等法院判大一四・四・一〇評論一四民法四九五）。

(三)　四四四条但書の事例　認定に関する下級審判例（東京控判昭九・一二・二〇新報三九三・九）と挙証責任に関する大審院の棄却判決とが存するだけのようであるが、後者も次掲以外のことがらはわからない。

【76】「民法四四四条但書に所謂求償者に過失あることは、被求償者に於て立証の責任を負担するものと解すべきなり」（大判昭七・一二・二七法学二・七・一〇六）（勝本・法学二巻八号五七頁）。

（四）　四四五条の事例　本条に関する判例は、大審院関係では連帯保証人に関する二例を数えうるのみである。しかも事案をみると（なお件名も貸金請求であつて求償金請求ではない）、後述する下級審（本書一〇二頁）を含めていずれも、債権者の履行請求に対し債務者側が四四五条をもつて抗弁とした事件のようである。

最初のケース。連帯債務者（＝主債務者）AB両名のためX（上告人）が連帯保証人となつていたところ、債権者Y（被上告人）は、Aの債務を免除（判例は連帯の免除という）したが後にBが無資力になつたので、Xに対して保証債務の履行を請求。原審で敗訴したXは、自分はBの弁済不能部分につき本来何ら負担部分なく、しかもYは本来ならばBの無資力の結果を負担すべきAに対して債務を免除したのだから、Yが四四五条によりBの無資力の結果を負担すべきだと上告するが、次のごとく棄却。

【77】「民法四四五条ハ連帯ノ免除ヲ得タル者ト無資力トナリタル者ト尚外ニ債務ヲ弁済シテ求償権ヲ有スル者若クハ未ダ之ヲ弁済セザルモ其資力アル者ト少クモ三名以上ハ連帯債務者アリシ場合ニ在ラザレバ之ヲ適用スルコトヲ得ズ。是連帯債務者ノ一人ガ連帯ノ免除ヲ得タル場合ニ於テ他ノ債務者中ニ弁済ノ資力ナキ者アルトキハ云々トアル其法文ノ解釈上自ラ明ナリ。而シテ本条ノ規定ヲ設ケタル理由ハ、同法四三七条ニ依レバ連帯債務者ノ一人ニ対シテ為シタル債務ノ免除ハ其債務者ノ負担部分ニ付テノミ他ノ債務者ノ利益ノ為メニモ其効力ヲ生ジ、四四四条ニ依レバ連帯債務者中ニ償還ヲ為ス資力ナキ者アルトキハ其償還スルコト能ハザル部分ハ求償者及他ノ資力アル者ノ間ニ其各自ノ負担部分ニ応ジテ之ヲ分割スベキモノナルヲ以テ、連帯債務者中ニ連帯ノ免除ヲ得タル者ト無資力トナリタル者トアルトキハ他ノ債務者ハ債権者ガ擅ニ為シタル連帯ノ免除ノ為メ其免除ヲ得タル者ガ素ト負担スベキ部分マデ負担セザルヲ得ザル悲境ニ陥ルヲ以テ、之ヲ避クル為メ債権者ハ免除ヲ得タル者ノ負担部分ヲ自ラ負担スベキ旨規定シ以テ連帯ノ免除ナキ場合ト同一ニ帰着セシメタルニ外ナラズ。故ニ本件ノ如ク連帯債務者二名アリテ其中一名ハ連帯ノ免除ヲ得他ノ一名ガ

無資力トナリタル場合ニ本条ヲ適用スルコト能ハザルハ勿論ナリ。而シテ保証人ガ主債務者ノ無資力トナリテ債務ヲ弁済スルコト能ハザル場合ニ其責ニ任ズベキコトモ亦明カナリ」（大判明三七・二・二民録一〇・七〇）。

次は、前出【5】に掲げた説示をなす棄却判決である。訴外ABCが平等の負担部分をもつてY（被上告人）から千五百円を連帯借用した際、X（上告人）は右三名のため連帯保証人となつた。その後Yは、Aの負担部分につき連帯免除をなし（Xの上告理由により事実を採つたが、この免除は絶対的連帯免除でないかという疑いもある）、Aが無資力だつたためXに請求したもののようである。原審は、BCが連帯免除を受けAが無資力の場合として事実をとらえ、【77】を引用して本件には四四五条の適用なしと判示。そこでXは、連帯保証人が対債権者関係で連帯債務者よりも不利な地位に立つべき理由なく、また本件連帯保証は商法（旧）二七三条によるもので純然たる連帯債務だとして、四四四条・四四五条を挙げてAの負担部分はYが負担すべきであると上告。しかし大審院は【5】に紹介した解釈論を述べた後すぐ続いて次のように判示。

【78】「而シテ……XハYヨリ本件金員ヲ連帯シテ借受ケタル訴外AB及Cノ連帯保証人ト為リタルモノニシテ是等ノ者ト共ニ連帯シテ右金員ヲ借受ケタルモノニ非ザルヲ以テ、Xト右BC若クハYトノ関係ニ付テハ前掲規定ヲ以テ律スベキモノニ非ザルコト明ナリト謂フベシ」（大判昭七・六・二五新聞三四四八・一二、新報三〇五・一二）。

右に掲げた両判決は、連帯保証人が債権者に分担請求した事案ならば問題も全く変つてくるが、すでに述べたように、ともに対外関係（＝債権者の履行請求）に関する事件であつたと思われる。とすれば、連帯保証人は、連帯債務者に対し連帯免除がなされても弁済資力のない連帯債務者を生じても、債権者に対する履行責任を免れない、ということ以上にその先例的価値を認めるのは困難であるまいか。すなわち、両者とも四四五条が純粋（＝連帯保証にあらざる）の連帯債務における対外関係に適用されるか否かを論じた先例でないことはもちろんだが、連帯保証の側から眺めても、連帯保証人が連帯債務者の無資力の結果を分担しないという趣旨の先例だと解する（勝本・中(1)二二六頁参照）こともオーヴァであろう。

ところで、このような曖昧な判決が出た理由は、上告理由を受けてそれに沿いつつも、大審院が連帯保証人の勝訴を不当と判断したためであるが、対外関係の問題を四四五条の枠内で処理しようとするかぎりでは、人数といった形式的操作で同条の適用外とし（【77】参照）、あるいはすすんで同条の適用範囲まで定立する（【78】参照）ようなことになるのも無理はない（なお、柚木・下四七頁は、【77】の被免除者の負担部分に関する分担関係を「何かの誤解」と評されるが、さような誤解を生じた原因は、【77】が連帯免除と債務免除との効果を同一視ないし混同したためであろう）。この意味で、むしろ或る下級審判決が、四四五条は「所謂求償権ニ関スル規定ニ外ナラザレバ……同条ハ連帯債務者ニ対スル債権者ノ請求権ノ行使ヲ制限スル規定ニアラザルコトハ多言ヲ要セズ」（東京地判昭二・一〇・三新聞二七五三・一四）と解して被告の抗弁を斥けたように、事案の実体に依拠した理由で上告棄却とするほうが、簡明かつ正確ではないかと考えられる。

五　求償権者の代位権

民法五〇〇条は、弁済をなすにつき正当な利益を有する者に法定代位権を認めているが（判例上いかなる者がそれに属するとされているかについては、西村・法定代位権（民商二一巻二号三号）参照）、連帯債務者がかような法定代位権者であることは通説的に承認されており、以下で紹介する判例もこのことを当然の前提としている（ことに上告との対比上【80】がそうである）。

最初の判例は代位権の範囲に関する先例として著作で引用されているものであるが、事件は、六人の連帯債務者中その一人が代位権に基づいて受けた公正証書の執行文付与の効力をめぐってである。それにより執行を受けるべき連帯債務者Xは、執行額を明示しない執行文は無効であるのに、原裁判所が、更正ないし変更を要する点を何ら判断せず本件債権額の六分の一につき差押命令を発したのは違法と抗告。これを棄却した決定の中に代位権の範囲が説示される（事件の性質上各自の負担部分は明らかでないが、均等とみられているようである）。すなわち、

【79】「連帯債務者数名アル場合ニ於テ其連帯債務者ノ一人ニ対スル強制執行ノ為メ特ニ執行シ得ベキ債権額ヲ明記セズ債権者ニ公正証書ノ執行力アル正本ヲ付与スルハ違法ニアラズ。而シテ債権者ハ本件債務名義ニ基キXニ対シ本件債権額六分ノ五ノ執行ヲ為シ得ベキモノトシ差押ノ申請ヲ為シタルモ、原裁判所ハ其六分ノ一ノ限度ニ於テノミ執行シ得ベキモノトシ其範囲内ニ於テ該申請ヲ許容シ其他ヲ棄却シタルモノトス。仍テ原裁判所ノ為シタル右本件債務名義ノ解釈ノ当否ヲ按ズルニ、本件債権ハ最初差押債権者及ビX外四名ヲ連帯債務者トシ此六名ニ対スル権利ナリシガ、其連帯債務者ノ一人タル本件差押債権者ガ従前ノ債権者ヨリ債権ノ譲渡ヲ受ケタル結果、民法四三八条・五〇〇条・五〇一条・四四二条・四二七条ノ適用ニ依リ差押債権者ガ従前ノ債権者ニ代位シテXニ対スル自己ノ求償権ノ範囲内ニ於テ債権ノ効力トシテ債権者ノ有セシ権利ヲ行フコトヲ得ルニ至リタルモノナレバ、本件債務名義ニ依リ差押債権者ガXニ対シ行使シ得ベキ権利ノ範囲ハ本件債権額六分ノ一ノ範囲内ナリト解スルヲ相当トス」（大決大三・四・六民録二〇・二七三）。

この【79】は、次掲「債権移転確認並抵当権移転登記請求事件」において先例として引用されている。事案はこうである。訴外Aが差押を免かれるため抵当権を設定して訴外Bから借金した際に、Y（被上告人）が保証の趣旨で連帯債務者となつていたところ、右抵当権附債権はBから訴外CさらにX（上告人）へと譲渡され、XがYに強制執行してきたのでYは元利金を弁済した。ところが、Xは右抵当権の移転登記を拒んだため、Yより前掲件名の訴が提起され、一審原審ともX敗訴。そこでXは、最後のあがきとして、民法五〇〇条は債務者以外の者が弁済した場合に適用されると上告した。もちろん

これは棄却となつたが（次掲各評釈とも判旨に賛成）、判示は、上告（＝代位権の不成立）に答えるというより、むしろすすんで負担部分が零であるYの代位権の範囲に論及する。すなわち、

【80】「……何等負担部分ヲ有セザル連帯債務者ノ一人ガ債務ヲ弁済シタルトキハ保証人ガ債務ヲ弁済シタル場合ト同様（但例ヘバ借金ハ実ハ保証人ノ用途ニ充ツルニ在リシ為メ内部関係トシテ保証人ガ全負担部分ヲ有スル如キ場合ハ姑ク之ヲ寘ク）、負担部分ヲ有スル他ノ連帯債務者ニ対シ其出捐シタル金額ノ全部ニ付求償権ヲ有シ、又以上ノ如キ連帯債務者ハ其債務ヲ弁済スルニ付正当ノ利益ヲ有スルヲ以テ民法五〇一条ニ依リ当然債権者ニ代位シ、右求償権ノ範囲内ニ於テ他ノ債務者ガ供シタル担保ニ付権利ヲ行使シ得ベキコト勿論ナリ。否負担部分ハ如何ニモアレ連帯債務者ノミ独同法五〇〇条ヨリ除外サルベキ道理無キハ夙ニ当院ノ判例トスルトコロナリ（【79】）。蓋連帯債務者ホド弁済ヲ為スニ付或意味ニ於テ最正当ノ利益ヲ有スル者ハ他ニ之ヲ見出スヲ得ズト云フモ過言ニ非ザレバナリ。唯其ノ求償権ヲ有セザル場合ニ於テ代位ノ範囲亦従ヒテ零ナルハ当然ノ結果怪ムヲ須ヒズ」（大判昭一一・六・二民集一五・一〇七四）（山中・判民七三事件、近藤・民商四巻六号一二四九頁、田島・論叢三五巻五号一二一四頁、岩田・志林三八巻一一号一五六七頁）。

もう一つの判決は、混同の場合における代位権の成否についてである。Y_1（被上告人）と訴外Aとは連帯債務を負担していたが、内部関係ではY_1のみが負担部分を負うものであり、かつY_1は自分の土地に抵当権を設定して担保としていた。この債権・抵当権は当初の債権者から転々譲渡されてY_2（被上告人）の手に帰し、Y_2はAを家督相続したので、Y_1を債務者とする競売を申し立てた。ところが、右土地はその前にY_1からX（上告人）へ譲渡されており、XはY_2のみならずY_1をも相手どつて、基本債権が消滅したため競売代金はY_2に配当すべきでないとして異議の訴を提起する。原審は、混同により弁済したものとみなされる以上当然債権者に代位すると判示したので、Xは、弁済擬制の効果は$Y_1$$Y_2$間で

のみ生ずるのであつて、第三取得者に対しては「混同ノ効果発生ト同時ニ其ノ物件上ノ負担ハ当然消滅ニ帰スベキモノ」と上告。結果は次のごとく気取つた判文により棄却。

【81】「然レドモ連帯債務者ノ一人ガ弁済ヲ為シタルトキハ他ノ債務者ニ対シ其ノ負担部分ニ付求償権ヲ有シ、其ノ求償権ノ範囲内ニ於テ債権者ニ代位シ、従テ此ノ範囲内ニ於テ債権者ガ他ノ債務者ニ対シ有シタル債権及担保権ハ弁済ニ因リ消滅スルコトナク当該債務者ニ移転スルモノトス。這ハ民法四四二条・五〇〇条・五〇一条ノ規定ニ依リ明ナリ。而シテ連帯債務者ノ一人ト債権者トノ間ニ混同アリタルトキハ其債務者ハ弁済ヲ為シタルモノト看做ステフ同法四三八条ハ何事ヲ意味スルヤト云フニ、他ナシ、抑モ債権者ヨリ当該債務者ニ対スル債権ノ消滅スル原因ハ取リモ直サズ混同以上ニモ以下ニモアラザルコトハ此場合ニ限リ之ヲ明定スルノ要ナシ、同法五二〇条ノ原則ニ譲レバ足ル。而モ特ニ『弁済ヲ為シタルモノト看做ス』ト云フ所以ノモノ畢竟債権者ト他ノ連帯債務者間ノ関係並ニ連帯債務者相互間ノ関係ニ於テハ則チ之ヲ弁済ノ場合ト同一視セムトスル法意ニ非ズシテ何ゾヤ。何者債権者ト当該債務者トノ関係ニ於テハ消滅ハ即消滅ナリ。已ニ混同ニ因リテ消滅シタルモノヲ更ニ弁済ニ因リテ消滅スト云フガ如キハ殆ンド無意味ノ甚シキモノナレバナリ。是故ニ混同ノ場合ニ在リテハ当該債務者ニ於テ弁済ヲ為シタル場合ト一般、債権者ノ債権ハ他ノ連帯債務者トノ関係ニ於テモ亦消滅スルト共ニ当該債務者ノ求償権ノ範囲内ニ於テ他ノ債務者ニ対スル債権者ノ債権及担保権ハ当該債務者即債権者ニ移転ス、詳言スレバ移転スルモノト看做サル。是自明ノ理ナリ。本件抵当不動産ノ第三取得者タルXトシテ抵当権ノ実行ヲ受クルハ固ヨリ其処ノミ。所論ハ此ノ理ヲ解セザルニ似タリ」(大判昭一一・八・七民集一五・一六六一)(山田・判民一一三事件、西村・民商五巻四号八一八頁、岡村・法学新報四七巻四号六六四頁)。

各評釈とも判示の結論には反対でない。が、岡村評釈は、代位による権利移転という通説の構成をもつて、弁済による債権消滅を無視した謬見とされ、代位弁済によつて債権は消滅するが担保権は消滅せずに弁済者の求償権に移る、という理論構成を採られる。また西村評釈は、民法五〇一条（一号および二号）の類推から、Y_2がXに対し直接に求償権を取得すると解しえないかを問題とされ、山田評釈も同じ規定との対比上、連帯債務者の場合は附記登記なくして代位できる点に言及してもらいたかつたと注文しておられる。連帯債務者の代位権は保証人のそれとの比較においてその要件を整理する意味が大きいので、右はもとより正しい注文である。ただその際、問題の保証の側で近時、本件に相当する場合（つまり弁済よりも第三者の取得が先であつた場合）については五〇一条一号の適用が動揺してきた点をあわせ考えてみなければならない（この動揺については、我妻・債総一三八―一三九頁以来かなりの教科書で論じられている）。けだし、保証の場合でさえ本件のような場合には事前の附記登記を要しないことになれば、明文のない連帯債務で不要たるは当然だという帰結に達するからである。

六　第三者に対する連帯債務者の償還と負担部分

これはいうまでもなく連帯債務者相互間の決済関係ではなく、あたかも前出【31】の帰結（＝第三者の償還請求）や民法四六四条で問題となるようなことがらであるが、連帯債務者の負担部分がもつ意味を考える素材として紹介するだけのことであるから、引用はもとより網羅的ではない。眼にとまつたものは事務管理ないし不当利得の問題と関連している。なお、表題と関連する判例を拾えば、「他人ノ損失ニ於テ連帯債務ノ負担ヲ免レタル場合ニハ、負担部分ヲ有スル者ニ於テ其各自ノ負担部分ニ付テ不当ノ利得者タルベク」（大判大九・一一・一八民録二六・一七二四）云々と述べているものもあるが、これは不当利得者の要件を論ずる際の傍論にすぎないのみならず（なお、本件の詳細や争点については、松坂・不当利得における因果関係（本叢書民法13）【19】参照）、負担部分について償還せよということならば、ここでわざわざ論ずべきほどのものではない。むしろ問題は、負担部分のない連帯債務者に対して弁済者が有益費ないし利得の償還を請求できるか否か、に関する次の二判決である。

その一つは、連帯債務者X（上告人）らのために、被上告人Yの前主たる第三者A（訴外）のなした弁済が、Xらの意思に反しない事務管理と認定されたケースにおいて、右の問題が論じられた棄却判決である。すなわち、

【82】「X等ハ第三者タルAノ弁済ニ因リ各自其連帯債務ヲ免レタルモノナルコトハ原判決ノ確定セルトコロニシテ、凡ソ連帯債務ハ各債務者各自独立ノ債務ヲ負担スルモノナルガ故ニ、右弁済ハX等各自ノ為メニ有益ナルモノト解スルヲ相当トシ、債務者相互間ノ内部関係ニ於テ其負担部分ヲ有セズトノ理由ニ依リ該弁済ヲ有益ナラズト断ジ得ベキモノニ非ズ」（大判昭九・九・二九新聞三七五六・七）。

次にもう一つは、連帯債務者（約束手形の共同振出人）のために株式を担保物として提供してやった物上保証人X（上告人）が負担部分のない連帯債務者Y（被上告人）に対し不当利得の返還請求ができる、とする破棄判決である。論点の一つは物上保証人の求償権を不当利得として構成できるかであるが、判示はそれを肯定し、ここでの問題については次のごとくいう。

【83】「……質物ノ所有権ヲ失ヒタルXハ保証債務ニ関スル規定ニ従ヒ債務者タルY等ニ対シ求償権ヲ行使シ得ルコト民法三五一条ノ規定ニ依リ明ナルトコロニシテ、此ノ場合ニ於テYガ内部関係ニ於テ負担部分ヲ有スルヤ否ノ事実ハXノ求償権ノ存否ヲ決スベキ事由ニ非ズ。故ニYハ何等負担部分ヲ有セザル場合ニ於テモXノ求償ニ応ズベキ義務アリト謂フベク、Xノ求償ニ応ジタルYハ更ニ他ノ連帯債務者ニ対シテ各自ノ負担部分ニ付求償ヲ為スコトヲ得ルモノトス。而シテ本訴ハXニ於テ不当利得ヲ原因トシテ主張スルモノナ

ルモ……敢テ之ヲ不当トスベキニ非ザルノミナラズ、本訴ニ於テYハ其ノ内部関係ニ於テ負担部分ヲ有セザルコトヲ理由トシテXノ請求ヲ拒否スルコトヲ得ザルモノナルコト求償権ノ行使ヲ為ス場合ト同様ナリト謂ハザルベカラズ。然ルニ原審ハ右ト見解ヲ異ニシ他人ノ損失ニ於テ連帯債務ノ負担ヲ免レタル場合ニハ負担部分ヲ有スル者ニ於テ其ノ各自ノ負担部分ニ付不当ノ利得者タルベキモノナリト為シ、Yガ何等ノ負担部分ヲ有セザルコトヲ理由トシテ本訴請求ヲ排斥シタルモノニシテ、法律ノ解釈ヲ誤リタル違法アリ」（大判昭一三・七・二三民集一七・一四六八）（勝本・判民九四事件、谷口・民商九巻二号二九三頁）。

本項目の直接対象となる事項ではないため評釈の紹介は略するが、これらの判例法理によると、弁済した保証人ないし第三者が連帯債務者に対して償還請求する関係においては、債務者たちの連帯関係はなお解かれないことを意味する。これは【83】が明言するように、弁済者↓負担部分のない連帯債務者↓他の連帯債務者の各自、といういわば求償重畳関係を是認することが前提となっており、ひいては保証人（ないし第三者）の権利の保護は連帯債務における求償循環の避止に優先する、という大審院の価値判断を示しているもののように思われる（したがって、解釈の可能性としてならば、【83】の原判決も成り立ちえよう）。

ただ、保証人には連帯保証人も含まれるのだから、右の判例法理からは次の結果を生ずることに注意しなければならない。すなわち、既存の連帯債務につき併存的債務引受をなした場合には、たとえ保証の趣旨であっても彼は判例上連帯債務者となるから（本書二七―二八頁参照）、弁済して求償する際には民法四四二条一項により、他の連帯債務者の各自にその負担部分に応じて償還請求することにならざるをえまい。これに対して連帯保証の形式を採ったときには、あたかも債権者が連帯債務者に対するがごとく、誰に対しても全額の償還請求ができることになろう。とすれば、この関係においてもまた、連帯債務か連帯保証かの認定は軽々しく扱えなくなる。

五　特殊問題

一　債務加入と更改

既存の債務関係に第三者が新たに連帯債務者として加わる契約は、更改の効果を生ずるか否か。つまり従前の債務を消滅させるかどうか。以下述べる判例は、すべて問題を否定的に解している。

第一のケースは、借用証書を書換えかつその際に連帯債務者を新たに附加した事案であるが、当初よりの債務者から、その契約によって債務者の交替および目的の変更による更改が行なわれ、旧債務は消滅したので自己の弁済責任も消滅したと上告。債務者の交替・変更に関する判示部分だけを引用すると、次のごとくであり、棄却。

【84】「甲債務者ガ債務ヲ負担セル場合ニ於テ乙債務者之ニ加ハリテ債権者ニ対シテ共ニ連帯債務ヲ約スルハ、債務ノ体様ヲ変ジタルニ過ギズシテ債務者ノ交替ニ因ル更改行ハレ旧債務ガ之ニ因リテ消滅スルモノニアラズ」（大判明四〇・一二・四民録一三・一一六一）。

次も同旨の判例である。上告人Xおよび訴外Aがすでに負担していた連帯債務につき、B（一審被告だが、上告人ではない）が連帯債務者となることを承諾し借用証書に署名した事案であるが、Xは、連帯債務者に変更を生ずるのは契約の更改だ（第一段）、当初の契約と後Bを加えた契約とは成立時期が異なるのに、原判決には契約がいつ成立したかが不明の違法がある（第二段）、と上告。

【85】「然レドモ消費貸借成立後ニ至リ第三者ガ借主ト連帯シテ其ノ債務弁済ノ責任ヲ負担スルコトヲ約スル場合ニ於テハ、之ガ為メニ債務者ノ数ヲ増加シ其体様ニ変更ヲ来タスコトアルモ債務ノ内容ハ同一ニシテ変更ヲ来タサザルヲ以テ更改ノ生ズベキモノニアラズシテ、原判決ハ単ニ消費貸借ノ目的タル金銭ヲ借主ニ交付シタル後Bガ連帯債務負担ヲ約シタルコトヲ判示スルニ過ギザレバ、更改ノ存シタルコトハ原判決ノ確定セザル事実ナリ。然ルニ之ヲ以テ更改ナリト前提スル本論旨第一段……第二段(ハ)……等シク原判決ノ趣旨ニ副ハザル非難ニシテ上告ノ理由ト為ラズ」(大判大七・五・一五民録二四・九六一)。

さらに、その後も、和解をなしその際に連帯保証人を附加した事案において、この契約をもって更改だと認定した原判決を破棄する理由の一部に、「連帯債務者ヲ附加シタレバトテ之ニ依リ当然更改ノ成立スベキ謂ハレナキモノニシテ……」(大判昭四・五・一八新報一八六・二一)と述べるくだりがあり、前出【21】でも、併存的債務引受は更改にならぬとして上告が一蹴されている。

連帯債務(ないし連帯保証債務)はいうまでもなく複数主体の債務であって、それを引受ける旨の契約の効果として原債務者が離脱してしまうようなことは、無意味であるとともに当事者(債権者や加入者)の意思にも反しようから、加入者が連帯債務者あるいは併存的債務引受人と認定された以上、少なくとも当事者の問題について更改の認定をなしうるはずがない。ただ、【84】や【85】のように当然ともいえることがらが公式の判例集に要旨として掲げられた理由は、それらが比較的古い時期の判例であった、もう少し詳しくいえば、時を異にする連帯債務の負担(すなわち債務加入(Schuldbeitritt))の観念が実務的になお未発達であったためと思われる(併存的債務引受が大審院判例をにぎわすようになったのは大正中期以後のことである)。それゆえ、一方において、併存的債務引受ないし債務加入の観念が一般的に確立し、また他方、更改制度がその不合理さのゆえに例外視されさらに契約自由の中に溶解せしめられるようになると（この点の詳細は我妻・債総一六九頁、於保・債総三八二頁参照）、ここの問題は消滅へと向かわざるをえなくなり、したがつて【84】や【85】もその意味において引用する価値を失なつていくであろう（なお、併存的債務引受と更改の関係を直接論じたものは、ごく古い下級審にしかみられないが、四宮・前掲債務の引受【19】）。

二　連帯債務と債権者取消権

表題から容易に想像できるのは、(1)或る債務者が連帯債務を負担することは詐害行為となるか（つまり債務者の無資力に関する問題）や、(2)無資力の連帯債務者が資力減少行為をなした場合、債権者としては他の共同債務者の資力にかかわりなく右行為を取消せるか（つまり詐害される債権に関する問題）、である。そして、【86】や【87】はまさしく(2)に関する判例であるが、【88】は、債務者の無資力に関するケースではあるけれども、(1)のように新たに連帯債務を負担することが問題となつたものでない。

まず、【86】は、古い判例で事案の詳細が不明だが、連帯債務者の一人A（訴外）が債権者Y（被上告人）を害することを知つて、自己の所有する不動産をX（上告人）に対して処分（上告理由によれば、Xから借金して抵当権を設定しまた売却したとされる）したために、Yが詐害行為だとして取消を訴求した事件である。上告理由は、債権者取消権の与えられるには「単ニ債権者ガ弁済ヲ受クル能ハザルノ虞アリト云フノミヲ以テ足レリトセズ、必ズヤ債権者ガ現ニ弁済ヲ受クル能ハザルニ至リシ場合ニ限リ此権利ヲ行使シ」うるにすぎないから、本件の連帯債務者のようにともに数十万円の資産をもつのに原審がYの請求を認めたのは違法と主張。しかし次のごとく棄却。

【86】「民法四三二条ノ規定ニ依レバ数人ガ連帯債務ヲ負担スルトキハ債権者ハ其債務者ノ一人ニ対シ又

ハ同時若クハ順次ニ総債務者ニ対シテ債権ノ全部又ハ一部ノ履行ヲ請求スルコトヲ得ルモノナルヲ以テ、債権者ハ連帯債務者ノ一人ガ債権者ヲ害スルコトヲ知リテ為シタル法律行為ノ取消ヲ訴求スルコトヲ得ベク、他ノ連帯債務者ガ債務ノ弁済ヲ為スニ十分ナル資力ヲ有スルコトハ債権者ノ廃罷訴権ノ行使ヲ妨グルモノニアラズ。蓋シ連帯債務ニ在リテハ債権ノ効力ヲ確保スル為メ、債務者ハ各自債権ノ全部若クハ一部ヲ履行スベキ義務ヲ有シ他ノ連帯債務者ニ資産アルノ故ヲ以テ債権者ノ履行ノ請求ヲ拒否スルコトヲ得ザルト同時ニ、債権者ガ連帯債務者ノ一人ニ対シテ履行ヲ請求スルト将又同時又ハ順次ニ総債務者ニ対シ履行ヲ請求スルトハ其撰択ノ自由ニ属スルヲ以テ、債務者ハ各自債権者ノ一般担保タル自己ノ資産ヲ債権者ノ損害ニ於テ減少スベキ行為ヲナスベカラザル地位ニアルコト如上連帯債務ノ性質ニ鑑ミ自カラ明ナルヲ以テナリ。本件ニ於テ原審ハ連帯債務者ノ一人ナルAガYノ債権ヲ害スルコトヲ知リテX等トノ間ニ本訴不動産ニ対シ抵当権ヲ設定シ又ハ之ヲ売却シX等モ当時悪意ナリシ事実ヲ確定シ、他ノ連帯債務者ノ資産ノ有無ヲ問ハズAノ右処分ハYノ債権ヲ詐害スル行為ナリト認定シ之ガ取消ヲ宣言シタルハ相当……」（大判大七・九・二六民録二四・一七三〇――松坂・債権者取消権（本叢書民法7）【27】）。

この【86】の理は、連帯債務者の一人A（訴外）が弁済資力がないのに所有建物を上告人Xに売渡し登記を了した場合に、他の連帯債務者に十分の資力があるので債権者を害しないというXの主張に対して、再び確認されている。

【87】「然レドモ債権者ハ連帯債務者ノ一人ガ債権者ヲ害スルコトヲ知リテ為シタル法律行為ノ取消ヲ訴求スルコトヲ得ベク、他ノ連帯債務者ガ債務ノ弁済ヲ為スニ十分ナル資力ヲ有スルコトハ債権者ノ取消訴権ノ行使ヲ妨グルモノニアラザルコトハ夙ニ当院ノ判例トシテ示ス所ナルヲ以テ、本論旨ハ理由ナシ」（大判大九・五・二七民録二六・七六八）。

右の判例法理は同時に通説でもある。けだし、連帯債務は債務者の増加によって増大した責任財産がいわば併列的・独立的に引当てる点に意義ないし効用があるのだから、他の債務者に資力があるという理由では詐害行為の取消に対抗できないのもやむをえないだろう。ただ、必ずしも明らかではないが、この判例法理は連帯債務者の資力減少行為ならば何でも取消せるとしたものではなく、問題の行為が抵当権設定ないし不動産売却であり、しかも判例上それらは詐害行為だとされていること（松坂・前掲債権者取消権【49】【56】参照）と相対的に理解すべきである。否むしろ、(1)連帯債務は複数の独立した債務であって単一主体の場合の応用問題であること、(2)さらに債権者取消権にあっては、なかんずく、債務者の財産活動の自由および取引の安全という要請が債権の効力確保との間に複雑な対立形態を採っていて（於保・債権者取消権（法セ四一号）二二頁）、単純に一般担保の保全という契機だけを強調できないことを考えるならば、「債務者の無資力」の判断は、「取消債権者の債権」の問題（【86】や【87】はこれに属する）と相対的にというよりも、後者以前の段階に置くべきだとさえいいえよう。

ところで、問題の【88】は左のようなケースである。すでに多額の債務を負う訴外Ａが、所有不動産から日常器具までを挙げて現物出資し、かつ妻子や妹を社員としてＸ会社（上告人）を設立したので、債権者の一人Ｙ（被上告人）は、Ｘ会社を相手取ってＡの右会社設立行為を詐害行為だとして訴求し、Ａが出資した不動産について処分禁止の仮処分をした。これに対してＸ会社は、Ａの財産状態が債務超過ではないのにＹは故意過失によって右仮処分をし、Ｘはその結果右不動産の利用を妨げられたから、という理由でＹに対して不法行為による損害賠償を請求する。この「損害賠償請求事件」は上告審では消極財産の算定の争いとなっているが、これはAが債務超過かどうかが論点となってきたからである。すなわち、Aが訴外B銀行に対して負う連帯債務八万三千円余には優良担保があるので消極財産に加算すべきでないというXの主張に対し、原審は、それを加算して五万三千円の債務超過だと認定し、もつて会社設立を詐害行為と判示したので、Xは、優良担保があれば「Aニ於テ現有財産ヲ以テ連帯債務ヲ完済スレバ当然ニ代位ニヨリ担保権ヲ取得スルガ故ニ、結局積極財産ニハ寸毫ノ増減ヲ生ズルコトナキヲ以テ、故ニ是ヲ消極財産ニ加算スベキ必要」がないと主張し、抵当権付債権における取消の範囲は抵当不動産によつて弁済を得られなかつた額にかぎるとする先例(大判昭七・六・三民集一一・一一六三——松坂・前掲書【22】)を引用して上告したのである(もう一点は、Aの負担部分は二分の一だから半額を消極財産に加算したらよいとして、また別の判例を引いている)。しかし上告は棄却。

【88】「連帯債務者ノ一人ガ詐害行為ヲ為セル当時債権者ガ第三者ノ財産ノ上ニ物上担保権ヲ有シ此ノ担保権ノ行使ニヨリテ完全ニ弁済ヲ受ケ得ベキ関係ニ在リトスルモ、斯ル関係ノ存在ハ当該債務ヲ右詐害行為者ノ消極財産トシテ計上スルニ付何等ノ妨ゲトナルモノニ非ズ。乃チ其ノ者ガ将来弁済シタル場合ニハ他ノ債務者ニ対シ其ノ各自ノ負担部分ニ付求償権ヲ取得スベキハ勿論ナルモ、斯ル未必的ナル将来ノ請求権ハ詐害行為者ノ現在ノ財産ニ属セザルガ故ニ之ヲ積極財産トシテ計上スベキモノニ非ザルト同時ニ、右ノ債務ハ其ノ者ノ消極財産ヨリ毫モ控除スベキモノニ非ズ。如上ノ求償権ハ謂ハバ弁済ニ供シタル財産ノ全部又ハ一部ニ代リテ発生スルモノニ外ナラザルガ故ニ、右弁済ニ供スベキ財産ニ加フルニ尚積極財産トシテ右求償権ヲ計上スベキモノニ非ザルコト洵ニ明瞭ナリ。惟フニ詐害行為ノ成否ヲ判断スルニ当リテハ、唯債務者ノ財産ノ上ニ債権者ガ物上担保権ヲ有シ之ガ行使ニ因リテ弁済ヲ受ケ得ベキ限度ニ於テ当該債務ヲ消極財産ヨリ控除スルト同時ニ、其ノ限度ニ於テハ該担保財産モ亦積極財産ヨリ控除スベキノミ。論旨援用ノ各判例ハ何レモ本件ニ適切ナラズ」(大判昭二〇・八・三〇民集二四・六〇——松坂・前掲書【37】)(潮見・判民七事件)。

学説の多くはこの【88】に対して難色を示しているが、それを紹介する前に、連帯債務者の一人Aの消極財産には連帯債務の全額を計上せよ、とする判例を挙げておこう。もつとも、この棄却判決は詳しいことが全くわからないのが残念だが、次のごとく判示している。

【89】「連帯債務者は債権者に対しては他の連帯債務者との関係に於ける負担部分の如何に拘らず其の全額に付債務を負担すべきものにして、他の連帯債務者に対する求償権の如きは債権者に対し其の債務を弁済したる後に生ずべきものなること言を俟たざるところなれば、他の連帯債務者の資産状態良好にして求償権の行使に当り完済を期待し得べき事情に在る場合にありても、詐害行為の取消等の関係に於ては斯かる事情を顧慮することなく其の債務全額を計上すべきものなること勿論なりとす。左れば仮りに所論Aの……債務が孰れも連帯債務にして他に償還資力十分なる連帯債務者ありたりとするも、原審が右Aの消極財産として債権者に対する関係のみに着眼し其の債務全額を計上したるは洵に相当……」（大判昭一二・四・五法学六・八・一四九）。

さて、前出【88】では（【89】も類似の事件ではないかと想像されるが、右の事情により省略）、債務者Aが無資力の状態にあるか――換言すれば彼の行為を詐害行為たらしめる基盤が存するか――どうかの判定にあたつて連帯債務が問題となつているが、解答としては次の三つが考えられる。すなわち、(1)債務全額を消極財産として計上する、(2)求償権の額はこれを積極財産として計上する、(3)その連帯債務に優良担保があれば全く消極財産に加算しない、である。このうちで(3)は、Xができることならそうなつてほしいと願つているようであるが、弁済者代位は求償権を前提とするから、Aに半分の負担部分ありと主張されている本件では全く問題にならない。大審院は、みてきたように、(1)の立場を採るが、弁済者代位によつて把握される物的担保が存してもA自身が提供したのでなければ消極財産から控除できないと判示したり、求償権を未必的だと称していることからすれば、判示はYの満足の確実性を特に強調して(1)を採ったようにも思われる(本件はだいたいが裁判所の心証を悪くするような事実の多いケースだが)。

しかし、この【88】の理論構成は次のように批判されている。すなわち、潮見評釈は、判旨は当該連帯債務の債権者(訴外B銀行)が取消権を行使するときには妥当するが、他の債権者が取消権を行使する際に債務者の消極財産中に連帯債務が含まれているときは、確実な求償権でカヴァーされるかぎり(確実さの挙証責任は債務者にあるが)対Y関係ではAの財産に何ら犠牲を生ぜしめないから、カヴァーされている部分は消極財産に算入する必要がないと主張されるのである(考え方のモデルとなったのは杉之原・判民昭四・一六事件)。そして最近の著作には、これを支持する見解が次第に現われつつある(柚木・判例債権法総論上二二一―二二二頁。また松坂・債総一〇五頁の見解も、同・前掲書一七六頁により改説)。この(2)説でも、取消債権者Yの立場はもちろん尊重されているが、他方においてこの説は、一般担保保全に必要な限度を厳格に計算するので、Aの無資力・債務超過を生ずる場がせばめられ、そのかぎりではAの財産活動への干渉も縮減されることとなろう。もっとも、【88】の事案では、Aの負担部分は少なくとも半分だから(Aに負担部分があると不利になるX側から半分と主張されているのだから、実際はそれ以上かもしれない)、求償権が確実だとしても、最高四万二千円しか消極財産より控除されない。したがって、Aはなお約一万一千円(前記五万三千円から右金額を控除した額)ないしそれ以上について債務超過となり、(2)説を採っても本件では判示と結論を異にしないのではあるまいか。

三 連帯債務と債権譲渡・転付命令

(一) 連帯債務者に対する債権の譲渡

問題は、(1)連帯債務者の一人ないし一部に対する債権を第三者に譲渡することができるか、また、(2)連帯債務者全員に対する債権の譲渡の場合でも(これの能否は債権譲渡一般の問題に帰着する)、通知または承諾(民四六七条一項)がその一人ないし一部についてしか備わっておらないときには譲渡の対抗はどう取扱われるか、である。

まず、学説を眺めよう。(1)の問題に関しては、現通説はむしろ自明のこととして肯定するようであるが(近藤=柚木・中五二頁は、肯定説に対してきわめて消極的であつたが、柚木・下二〇頁は、その疑問に答えて通説を採られる(本書二二〇―二二二頁参照))、その根拠は、連帯債務における各自の債務の「独立性」である。次に、(2)の問題についても、これを連帯債務における「相対的効力の原則」の枠内でその一場合として説くのがこれまた一般の見解であつて、それ以上に理由づけはないが、通知が債務者に対してなさるべきことを、理由として補足される見解はある(於保・債総二八〇頁)。

次に、判例は【90】を除いては、(1)(2)ともにつき学説と同旨であるが、実際のケースをみると、(1)の問題は傍論ないしは(2)を導き出す前提として述べられているにすぎない。なお【90】は古い控訴院判例であるが、判例法理の中では異説であり、かたがた上告審判決でもあるため、特に例外として「通し番号」によつて紹介する次第である。

【90】の事案を上告理由からうかがえば次のようである。訴外Aは、上告人Xほか十一名を連帯債務者として金銭を貸与していたが、この貸金債権を被上告人Yに譲渡した。判示からみると、全員に対する債権の譲渡であり、かつ通知はXのみになされたらしいが、Xに対するYの請求を原審が認容したので、Xは、自分以外の者には通知がなくしたがつて債権譲渡をもつて対抗できない以上、自分に全債務の履行を求められるはずがないと上告。原判決は破棄差戻となつた。すなわち、

【90】「連帯債務ハ数人ノ債務者ガ同一ノ債権者ニ対シ債務ヲ負担スル場合ニ於ケル一種ノ債務関係ニ外

ナラザルヲ以テ、数人ノ債務者ガ各別個ノ債権者ニ対シ債務ヲ負担スルガ如キハ連帯債務ノ性質ニ反スル者ト謂ハザル可ラズ。故ニ数人ガ連帯債務ヲ負担スル場合ニ於テ債権者ガ、其債務者ノ一人ニ対スル債権ニシテ其者ノ負担部分ノミナラズ債権全部ヲ挙ゲテ他人ニ譲渡スルト同時ニ、他ノ債務者ニ対スル債権全部ヲ自己ニ留保スルトキハ、譲渡ノ行ハレタル債務者ハ他ノ債務者ト異ナリタル債権者ヲ有スルニ至リ連帯債務本来ノ性質ニ悖ルヲ以テ、斯ル譲渡ハ当然其効力ヲ生ズルモノト謂フヲ得ズ。然而シテ債権者ガ連帯債務者ノ全員ニ対スル債権全部ヲ他人ニ譲渡シタルニ拘ハラズ、之ヲ債務者ノ一人ニ通知シタルニ止マリ他ノ債務者ニ通知セズ又ハ他ノ債務者ガ譲渡ヲ承諾セザル場合ニ於テ……譲渡ハ通知ヲ受ケタル債務者ハ、他ノ債務者ガ譲渡ノ通知ヲ受ケタリヤ否ヤ又ハ他ノ債務者ガ之ヲ承諾シタリヤ否ヤニ付テハ同条項（筆者註—民四六七条一項）ニ所謂第三者ニ該当シ而カモ最モ深キ利害関係ヲ有スル第三者ナルヲ以テ、同条項ニ因リ他ノ債務者ニ関スル債権ノ譲渡ヲ争ヒ得ベク、譲受人ハ之ニ対シ譲渡ノ効力ヲ主張シ得ザルモノト論ゼザルベカラズ……」（名古屋控判年月日不明（事件番号不明）新聞七一二・二四）。

ところで、大審院のリーディング・ケース【91】は、右と全く見解を異にする。債権者A（訴外）が連帯債務者たるX（上告人）およびB（訴外）に対する貸金債権をY（被上告人）に譲渡し、かつその通知はAからXのみに対してなされた事案であるが、Xは、数名の連帯債務者に対する債権を譲渡したときには、全員に通知しなければ全員に対しないし全部につき対抗力がないのに、原判決がBに対する通知の有無や通知がない場合の効力を判断せずXに全部の支払を命じたのは違法と上告する。しかしこれは棄却。

【91】「然レドモ連帯債務ハ債権者ニ対シテハ一個ノ債務ノ如ク看做サルルモ各債務者ハ各自全部ノ給付ヲ内容トスル独立ノ債務ヲ負担スルモノナルヲ以テ、債権者ハ連帯債務者ノ一人ニ対スル債権ノミヲ独立シ

テ譲渡スルコトヲ得ベク、又連帯債務者全員ニ対スル債権ヲ譲渡シタル場合ニ於テモ、其債務者全員ニ対シ譲渡ノ通知ヲ為シ又ハ其全員ノ承諾ヲ得ルニ非ザレバ譲受人ハ何人ニ対シテモ之ガ譲受ヲ以テ対抗スルコトヲ得ザルモノニアラズシテ、其内ノ一人ニ対シ譲渡ノ通知ヲナシ又ハ其者ノ承諾アリタル以上ハ譲受人ハ其者ニ対シテ譲受ヲ以テ対抗スルコトヲ得ルモノナリト謂ハザルベカラズ。然ラバYガAヨリ同人ニ対スル連帯債務者タルX及ビBニ係ル本訴債権全部ヲ譲受ケ而カモAガXニ対シテノミ譲渡ノ通知ヲナシタリトスルモ、Yハ該債権譲受ケヲ以テXニ対抗シ得ベキモノナレバ、Bニ対スル譲渡ノ通知又ハ同人ノ承諾ノ有無ハ本訴請求ノ当否ヲ決スルニ当リ之ヲ論究スルノ必要ナキノミナラズ、Xハ原審ニ於テ叙上ノ点ニ付キ特ニ論争シタル事迹ナキニヨリ、原審ガ所論ノ点ニ関シ何等判示スル所ナカリシハ至当ナリ」（大判大八・一二・一五民録二五・二三〇三）。

右の理は、その後も、「連帯債務ノ場合ニハ債権ノ譲渡ハ之ヲ当該債務者ニ通知スルヲ以テ遺憾無ク対抗要件ヲ具ヘ了ルモ……」（大判昭五・八・二新聞三一六一・一〇――なお前出【3】参照）という傍論のかたちでうかがえるのみならず、下級審判例（東京地判昭五・一二・一八新報二三九・二五、東京地判昭六・二・一〇新報二五一・二二）ではそのまま承継され、次掲【92】でも維持されている（事案は掲載紙の関係で不明だが、当事者の関係や表示符号は【91】と全く同一）。

【92】「債権を有せしAより債務者たるX等に対し該債権をYに譲渡したる旨の通知を為したる事実に依れば直に其の譲渡ありたることを認むるに足れり。而してX等はBと連帯して右債務を負担せるものなるも既にAよりX等に右通知ありたる以上、YはX等に対し右債権金額に付譲渡ありたることを主張して其弁済を求むることを得べく、Bに対する右譲渡対抗の要件が具備せりや否は此の結論を左右すべきものに非ず」（大判昭九・四・二五法学三・一一・八八）。

かように、諸判例（とりわけ【90】【91】）で問題となったのは、一人に対する債権の譲渡ではなくて全員に対する債権の譲渡の場合であり、しかもその争点は、連帯債務者の一人に譲渡通知のあったときには、譲受人がその者に対して全額を請求できるか否かであった。【91】にはじまる判例法理は問題を肯定するが、もとより正当な態度だといわねばならない。けだし、債権譲渡の近代的課題――すなわち投下資本の便宜かつ確実な回収の促進――は、その帰結として「譲渡要件の簡便化」と並んで「譲受人の地位の安全」を要請するからであり、かつまた、連帯債務においてせつかく債権譲渡を許した以上は、各自の全額責任をも維持しなければ連帯という責任形態の価値・機能が損われてしまうからである。ただその場合、譲渡通知を受けなかつた連帯債務者に譲受人が請求できないという帰結は、新旧債権者の対外的権利（取立方法）と債務者の弁済の保護（ことに善意の場合における免責）とをよほど徹底して改めないかぎり、やむをえない一線だとみるほかはない。

　ところで、判例法理はあつさり一人に対する債権の譲渡を可能だとしているが、その場合の法律関係はどうなるのだろうか。連帯債務者に対する債権の譲渡があつたときには、ふつう（なおエネクチェルス＝レーマンの教科書では一人だけが名指されていても（一四訂版三五七頁））、全員に対する債権が譲渡されたものとみるのが妥当だといわれているので（我妻・債総二〇五頁）、判例がさような立場を採るのであれば実際上ほとんど問題にならないであろうが、一、二の学説（後出【93】に対する四宮評釈と柚木・下二〇頁）によつてみておこう。

　その場合、問題となるのは、連帯債務者Aは依然として旧債権者Xに対して義務を負うのに、他の連帯債務者Bは債権譲渡により新債権者Yに引当てるという関係から生ずる結果をめぐつてである。このうち、AがXに対して弁済してもBは免責されず、またBがYに対して弁済してもAは免責されないのかどうかに関しては、柚木・四宮両教授とも、一債務者の弁済の絶対的効力性を、債権者が複数の場合にも適用することによつて解決せられる。次に、そうなると、たとえばXがAから弁済を受けたがそれを費消しかつ無資力の場合には、Yは結局何も得られなくなりはしないかという点については、柚木教授は、さような偶然のありうることのためにかかる債権譲渡自体までをも無効とすべき理由なく、かつXY間ではその間の処置を約するのが通例だ、と答えられる。また四宮教授は、XYの関係を、権利主体の分裂が形式的か実質的かによつて、信託または準共有としてとらえられ、Yの債権喪失に対する補塡については、これをそれらの内部関係に委ねられる（したがつてYの危険は、右設問の程度にまでは考えておられぬようである）。

（二）　連帯債務者に対する債権の分割転付　　連帯債務者の一部に対する債権が転付されたときは、あたかも連帯債務者の一部に対する債権を分離譲渡した場合と近似する。そこで判例も、さような分割転付の能否に関しては、分離譲渡が可能であることを理由として問題を肯定している（[93]参照）。

では、Aの債権者Xが、Aに対する連帯債務者YBCDのうちBCを第三債務者として転付命令を得た場合、Yの責任はどうなるか。右で述べた債権譲渡の場合にあてはめると、Yの責任が問題となるのは、BCがXに弁済した場合におけるYとAの関係であるが、転付の場合の実例（下級審の判決だが）では、Y（被控訴人）の債務を免除したX（控訴人）が再びYに請求した、というかたちで転付の効力が論じられている。もう少し詳しくいえば、Xは、Yから若干の弁済を受けてYの連帯債務を免除した後、その免除は右転付債権について行なわれたのだ（したがつて多分、AのYに対する債権分については別に請求する）と主張したようであるが、判示は、本件Yの責任を否定する理由づけの一つとして、分割転付はこれを受けた者に対してしか効力を生じないのだから、特約なきかぎり連帯債権の発生を認めないわが法のもとでは「除外セラレタル連帯債務者ハ之ニ因リテ該転付金額ノ限度ニ於テ其債務ヲ免ルルモノト云ハザルベカラザルベク、従テ該転付命令ニヨリ除外セラレタルYニ対シテハ該転付債権ニ付キ、Xトノ関係ニ於テハ勿論、Aニ対スル関係ニ於テ免除ノ問題ヲ生ズル余地ナ」し（東京地判大九・一〇・一四評論九民訴五〇九）と述べた。これに対しては吉川教授が、転付命令により免責されるのは本件Aだから判示の結論は奇妙であり、またこうした理論では連帯債務の実質的解体は避けられないのであって、避けようとすれば分割転付を否定するほかはない、と評しておられる（吉川・判例転付命令法一六三―一六四頁）。

転付命令の相対的効力性は大審院でも論じられたが、事件は二例とも、連帯債務者の一人が自分の共同債務者を第三債務者として転付命令を得た場合における混同の成否と関連している。

判例の一つである【93】は、次のような内容である。Y（被上告人）は、訴外ABとともにX（上告人）から二百八十円を連帯借用していたが、Xに対する四十五円余の債権ありと称して、Xの右債権中四十五円余につきABを第三債務者とする差押ならびに転付命令を申請し、この命令はXおよびABに送達された。そこで、Xは自己のYに対する債務は弁済ずみだとして訴を提起したが認められず、控訴。原審は、適法の債権差押ならびに転付命令はその「目的タル債権ノ有効ニ存在スル限リ」は適法な執行停止・命令取消のない以上法定の効力を生ずる、としてXの請求を棄却。Xはかくて該命令の有効性を争い、本件四十五円余の転付「債権ハ該命令ノ送達ニヨリ連帯債務者タルYニ移転シテ混同ヲ生ジ、且ツ其ノ混同ハ同ジク連帯債務者タル第三債務者ABニ対シテモ其ノ効力ヲ生ズルコトトナルヲ以テ（民法四三八条）、差押並転付命令ノ目的タル債権ハ存在セザルコトニ帰」するはずだのに、

Xに不利な判決を下したのは違法と上告。これに対し、

【93】「然レドモ連帯債務者ハ各自独立ノ債務ヲ負担スルモノナレバ債権者ハ其ノ中ノ或者ニ対スル債権ヲ他ノ債務者ニ対スル債権ト分離シテ譲渡スルヲ得ベク、従テYA及Bノ三名ガXニ対シ負担スル本件連帯債務中右ABニ対スル債権ノミニ付Yガ債権差押並転付命令ヲ申請シ其ノ債権ノ転付ヲ得タリトスルモ、残部ノXガYニ対スル債権関係ハ依然存続シ混同ニ依リ消滅スルコトナク、従テABノ債務ガ消滅スベキ理由ナシ。原判決ガ右ノ如キ債権差押並転付命令アリタルコト当事者間ニ争ナキ事実ニ徴シ、差押並転付命令ノ目的タル債権ハ有効ニ存在スルモノト為シ該命令ハ有効ナリト断ジタルハ何等違法ニ非ズ」（大判昭一三・一二・二二民集一七・二五二二――吉川・前掲書〔一〇六〕）（四宮・判民一五四事件、柚木・民商九巻五号一〇〇六頁、岡村・法学新報四九巻六号九四〇頁）。

柚木評釈は、徹頭徹尾不可解な事件だと評しておられるが、たしかに、Yが本件転付命令を求めた実利はわからないし、Xが転付命令無効論をふりかざした根拠もはかりがたい。おそらくは、Yのいやがらせに対し、Xが是が非でもと最後は意地になって、原判決の言葉尻をとらえて上告した事件なのだろう。しかし、上告の理由は、岡村・四宮両評釈の指摘されるように疑問の多いものであった。

ところで、問題の分割転付と混同とに関する判示はどうみられているか。岡村評釈は、混同によって債務が消滅しないとすれば、ABはYに弁済してすぐYに求償できるというような不都合を生ずるから、判示とは逆に債務は混同によって消滅するとみるべきであり、後は求償関係が残ると解される。また四宮評釈も、混同に準じてとする点では異なるが、転付命令によりXの債権中四十五円余は弁済されたものとみなすべきだとせられる。いずれも、無用な手続を避けることが根拠となっている（なおついでに記しておくと、本件Yの負担部分が零であれば評価も若干変るが、判例集からはわからない）。

もう一つの判例【94】は右の【93】を先例として引くものであるが、非混同の理論は今度は、連帯債務の債権者（【93】ではX、本件では被上告人のY）からでなく、連帯債務者の一人でもある転付債権者Xからの、上告を斥ける理由づけに用いられている。上告理由は次のようである。Xは、自分の共同債務者AB（訴外）よりYに支払うべき賦払金をその弁済期日前に転付を受けてYへ送達したから、Yはその分については満足を受けたはずである。然るに原判決が、不払によって期限の利益を喪失した旨判示したのは違法である、と。だが次のごとく棄却（引用文中、執筆者が註を附した部分は、事実関係に関する登載誌の記述からも、ことがらの性質からも、ミスプリントと思われる）。

【94】「然レドモX及ABノ三名ガYニ対シ負担スル連帯債務中右ABニ対スル債権ノミニ付X（筆者註——登載誌ではY）ガ債権差押並転付命令ヲ申請シ其ノ債権ノ転付ヲ得タリトスルモ、XノYニ対スル残部ノ債権関係ハ依然存続シ混同ニ因リ消滅スルコトナク、従テ右ABノ債務モ亦消滅スベキ理由ナキヲ以テ（【93】参照）、原判決ガXノYニ対スル右債務ヲ弁済シタリト認ムベキ証拠ナキモノトシテXノ主張ヲ排斥シタルハ相当ナリ。……論旨ハ独自ノ見解ニ基キ右転付命令ニ因リXノYニ対スル債務ノ一部ガ消滅ニ帰シタルコトヲ前提トシテ原判決ノ正当ナル判断ヲ論難……スルモノニシテ採用スルニ足ラズ」（大判昭一四・七・一四新聞四四七四・七）。

肝心な点に関する上告・判示がいささか簡単すぎて、債務全額について期限の利益を失うことが問題なのか、転付債権の送達そのものが本件のような連帯債務ではXの弁済とはみられないということが問題となっているのか、どうにも確言しかねる（ただ、本件Xに法的保護が与えられるべきでないのは確かだ）。

このほか、判例には「連帯債務者ノ一人ナルY_1ニ対シ差押及転付命令アリタルガ為ニ何ガ故ニ之ヲ受ケザル他ノ連帯債務者Y_2トノ関係ニ於テモX（上告人）ノ請求ヲ排斥セザル可ラザルカ、原審ハ之ニ対シ何等ノ説明ヲ加フルトコロナシ」云々とするものがあり（大判昭九・一二・一二裁判例八民事二八八、法学四・五・一〇一——詳しくは吉川・前掲書〔一〇五〕）、登載誌の一つたる「法学」は、それに「連帯債務者の一人に対する差押及転付命令が之を受けざる他の連帯債務者に対して有する効力」と附題している。ところがこの事件は、原審が、Xへの債権譲渡の通知よりも転付命令の送達のほうが先であつたからXは結局債権を有しないと判示したために、Xが本訴債権と右転付債権とは似ているけれども別ものだと上告したのであつて、右引用部分は、本訴債権が転付された連帯債務者に対する債権ならばという前提（大審院は否定的であるが）のもとにおける議論である。「法学」の作文にかかる判示事項は、かような段階にいたつてはじめて推測されるにすぎないから、本判決を、分割転付に関する典型的・代表的なケースとみることは困難だと思われる（ただし中務・取立命令と転付命令（民訴法講座四巻）一九一頁）。

四　連帯債務の共同相続

連帯債務者の一人が死亡して共同相続が行なわれた場合、相続人たちは、被相続人の残した連帯債務について、どういうかたちの責任を負うのであろうか。これは、相続人が複数であるのを常態（民八八七条―八九〇条参照）とする現行法ではしばしば生起する問題だと思われるが、旧法（＝明治民法）のもとでもいわゆる遺産相続（共同相続の構成を採用していた）については問題となることがらであつた。

ところで、連帯債務の共同相続は、金銭その他の可分給付を目的とする債務の共同相続における各相続人の責任態容いかん、をいわば前提としかつそれと密接につながるのであるが、最初に現われた判例【95】は、連帯債務に関する事案を、全く可分債務一般の問題として取扱つている（近藤・相続法一五一頁はこの態度に賛成せられる）。事実はこうである。連帯債務者（合名会社社員）ABCのうちAが死亡して、X（抗告人）および訴外DE

の三名が遺産相続をしたが、債権者はX､D､E､に対する執行文付与を受け、Xに対して債権全額につき強制執行をした。そこでXは執行方法の異議を申し立てたのであるが、原裁判所は、「本件債権者ガ被相続人ニ対スル債権全額ニ付其ノ遺産相続人ニ対シ為サレタル当該強制執行ハ何等違法アルコトナシ」と説示したため、Xは、自分の負担部分は三分の一であるのに「債権者ガ被相続人Aニ対スル債権全額ニ付キXノ特有財産ニ対シ強制執行ヲ開始シタルハ失当ナリ」と争う。大審院はこれを容れて取消差戻となつた。その理由は次のようである。

【95】「遺産相続人数人アル場合ニ於テハ共同相続人ハ相続分ニ応ジテ被相続人ノ権利義務ヲ承継スルモノニシテ其ノ相続分ハ別段ノ指定ナキトキハ平等ナレバ、被相続人ノ金銭債務其ノ他可分債務ニ付テハ各自分担シ平等ノ割合ニ於テ債務ヲ負担スルモノニシテ、連帯責任ヲ負ヒ又ハ不可分債務ヲ負フモノニ非ザルコトハ民法（旧）一〇〇三条・四二七条ノ規定ニ依リ明ナリ。……従テ遺産相続人ノ一人タルXニ対シテハ右債務名義ニ記載シタルAノ債務全額三分ノ一ノ弁済ノ為ニスルニ非ザレバ強制執行ヲ為スコトヲ得ザルモノトス」（大決昭五・一二・四民集九・一一八）（穂積・判民一一二事件）。

このケースは、Xが自分たち三人の遺産相続人が負う責任態容を問題としたために、判示ことに判決要旨をみただけでは、あたかもAの単独債務につき共同相続がなされた場合のようにみえ、穂積評釈も、債務の共同相続一般という平面で連帯債務説の立場から批判を加えておられる。だが、この理は、連帯債務の共同相続たることを明示する棄却判決【96】でも確認されている。事案の詳細は不明であるが、債権者X（上告人）が遺産相続人の一人Y（被上告人）を相手どつて上告した事件である。判示は次のようである。

【96】「債権者は連帯債務者の一人に対し全部の履行を請求することを得べきも、本件の如き金銭債務に在りては、債権者は其の連帯債務者の一人の死亡に因りて遺産相続を為したる数人の相続人各自に対し当然に全部の履行を請求する権利を有するものに非ざることは民法（旧）一〇〇三条の規定に照し疑なければ、原判決に於てXが相続債権者としてY外三名の遺産相続人に対し均一部分に付其の権利を行使し得べきものと断じたるは相当なり」（大判昭一六・五・六法学一〇・一一・八八）。

以上の二判例は、【95】のように債務の共同相続一般という表現形式を採った場合もあるが、とにかく連帯債務者の一人を相続した共同相続人相互の関係に関する先例であった。そして、その内容は彼らが連帯関係に立たないというものであったが、戦後の下級審には、妻Yおよび六人の子が、Aと連帯債務を負うBを共同相続したところ、全員が共同被告として債権者Xから訴求された事案において、「右Y等はBがXに対し負担した前記金八十万円の貸金債務を承継したものであり、その承継は相続分に応ずべきであるが、被相続人の債務が連帯債務である場合には、その共同相続人はその承継した債務につきまた互に連帯債務を負担するものと解するのが相当であるというべきところ、Bの債務がAとの連帯債務であることは前認定のとおりであるから、その共同相続人である右Y等の債務も連帯関係にあるもの……」（東京地判昭二八・四・二三下級民集四・四・五七〇）として、先例に反対する判例も現われていた。

しかし、最高裁判所は、【95】および最高裁の一判決（引用文中に掲げるが、可分債権の法上当然分割を判示したもの。これについては柚木編・最高裁判所民法判例要録【一二七】参照）を引用して、共同相続人相互間の非連帯を再確認したのみならず、すすんで生存する他の連帯債務者（本件では後述するように、共同相続人の一人と同一人ということになるが）と共同相続人たちとの関係についても判示するにいたった。

その事実関係は当事者の主張では複雑であるが簡約すればこうである。Y（被上告人）の父は、A（訴外)・その子B(訴外)およびBの妻X_1(上告人)を連帯債務者として金十八万三千円を貸与したが、後さらに九万八千円余の消費貸借が成立したものとして借用証書が作成された(これは前の貸金の利息だが、制限超過利息であつたため一万八千円余に裁判上減縮された。ただし以下この点は省略)。ところが、Aは死亡し(妻子あるもその相続関係は不明)、Bも死亡して妻X_1および四人の子$X_2X_3X_4$(いずれも上告人)・C(訴外)がBを共同相続した。Yは父から右債権を譲り受けて、Aの妻子およびX四名を訴求。第一審では、X_1は債務の三分の一、$X_2X_3X_4$は各自六分の一(三分の二の相続分を四等分した額)を支払えと判示されたので(Aの妻子に対する請求はなぜか認められなかつたのであるが、以下Aの相続関係は論外としておこう)、X側は控訴。第二審裁判所は、「本件債務は連帯債務であつて分別の利益を有しないから、未だ相続財産の分割があつたことの認められない本件の場合にあつては、その全額につき支払義務ある」ゆえ、その範囲内の支払を命じた第一審判決は結局正当として、控訴を棄却。かくてX側はさらに「相続人が被相続人の権利義務を相続するについてはその相続分に応じ承継するものであり、相続財産の分割なきうちはその共有に属するもその持分は相続分の割合による……。被相続人の債務が連帯債務であつても右(と)法理を異にしない」と上告。結果は一部棄却・一部破棄差戻となつたが、原審は第一審を結局正当としており、また、たまたまX_1が共同相続人であると同時に本来の連帯債務者でもあつたので、解釈論上の争いに帰着している。判示は次のごとく説く。

【97】「連帯債務は、数人の債務者が同一内容の給付につき各独立に全部の給付をなすべき債務を負担しているのであり、各債務は債権の確保及び満足という共同の目的を達する手段として相互に関連結合しているが、なお可分なること通常の金銭債務と同様である。ところで、債務者が死亡し相続人が数人ある場合に、

被相続人の金銭債務その他の可分債務は法律上当然分割され、各共同相続人がその相続分に応じてこれを承継するものと解すべきであるから【95】、最高判昭二九・四・八民集八巻四号八一九頁参照）、連帯債務者の一人が死亡した場合においても、その相続人らは、被相続人の債務の分割されたものを承継し、各自その承継した範囲において、本来の債務者とともに連帯債務者となると解するのが相当である。……Aの債務の相続関係はこれを別として、X_1及びBはYに対し連帯債務を負担していたところ、Bは死亡し相続が開始したというのであるから、Bの債務の三分の一はX_1において（但し、同人は元来全額につき連帯債務を負担しているのであるから、本件においてはこの承継の結果を考慮するを要しない）、その余の三分の二は、$X_2$$X_3$$X_4$及びCにおいて各自四分の一すなわちBの債務の六分の一宛を承継し、かくしてX_1は全額につき、その余のX_2らは全額の六分の一につき、それぞれ連帯債務を負うにいたったものである。……しかるに、原審は、X_1らはいずれもその全額につき支払義務があるものとの見解の下に……X_1らの控訴を棄却したものである。それゆえ、X_1は、全額につき支払義務があるとする点において、当裁判所も原審と見解を同じうすることに帰し、その上告は結局理由がないが、その他のX_2らに関する部分については、原審は連帯債務の相続に関する解釈を誤った結果、X_2らに対し過大の金額の支払を命じたものであって、X_2らの上告は理由があるというべきである」（最判昭三四・六・一九民集一三・六・七五七）（福島・民商四一巻五号七八七頁、三宅・判例評論二一号七頁、人見・法学研究三三巻一号九四頁、泉・専修論集二三号九二頁）。

連帯債務者の各自の負う額は、【1】の帰結として出てくるように、互いにあい異なることを妨げないから、【97】もこの点に関しては別段珍奇な立場ではない。問題の核心はやはり全額債務性の維持・解体、共同相続人相互の連帯・非連帯であるが、その点から各評釈を眺めると（なお【97】を中心とした判例の実に鮮やかな整理・分析には、有地・ジュリスト続判例百選一七二頁がある）、判旨に賛成される三宅評釈に対し、福島評釈は、連帯債務の債権強効力に着眼して「共同相続人は各自単独で全部給付義務を負担」すると解され、人見評釈は、金銭債務一般はともかくとして連帯債務に関しては債務単一説から分割を原則として認められず、泉評釈は、原審の判断がむしろ妥当だとせられる。また甲斐教授（同・連帯債務の共同相続（甲）南論集七巻五号）三六頁参照）は、相続人相互の非連帯という点では判例と同説であるが、「各共同相続人は他の連帯債務者と連帯関係に立って全額債務を負う」と解されるので、そのいわゆる全額の意味いかんによっては、判旨と異なる結果に達するであろう（全額というのはBの負担部分額の全部か、あるいは連帯債務の全額ということになるはずだが、もし後者だとすれば、各共同相続人が連帯関係に立たないという立言は、不真正連帯を意味するとも解せるがこれは教授の意図ではなかろうから、結局は無意味となるのではないか）。

連帯債務の債権強効機能を強調すれば、【97】のような折衷的立場よりも、各相続人が全額につき責任を負うとするほうが徹底するであろう。だが、判例法理は、分割承継が原理的立場として君臨するかぎり、まず廃棄される見込がほとんどない（【97】を承継する下級審については有地・前掲参照）。

五　不真正連帯債務

ここでは、この観念が判例にいかに反映しているかを簡単に眺めておいた別稿での論述（椿・前掲共同不法行為一六五頁以下）を、補足する資料という意味でのみ判例を掲げておく（ことに問題の判示に対応する上告理由は直接法で引用する）。

まず「不真正連帯」という表現は、学説においては熟知されているが、判例の側では下級審で散見されるにすぎない。その一つは「株式引受人ノ払込義務ト発起人ノ払込義務トハ所謂不真正連帯ノ関係ニ在ルモノ……」（大阪控判昭一二・五・一新聞四一四四・七）とする判決であるが、これは、すすんで、不真正連帯にも担保的性質を有し負担部分が存する場合を認めるなど、かなり内容に関しても判示していた。もう一つは戦後の下級審であるが、原告X女との内縁を不当破棄したY_1および離間を策したその兄Y_2の損害賠償責任を認めるにあたり、「Y_1はXと将来婚姻すべき約束を破棄した責任を負うべく、Y_2は故意または少くとも過失によつて、XとY_1間を離間して婚姻の成立を妨害した責任を負うべきものであるから、両名の右責任はいわゆる不真正連帯債務の関係にあると解しなければならない」（福島地判昭三〇・一・二一下級民集六・一・八二）と判示している。これは多分、内縁に関していわゆる「予約理論」を採つたために、共同不法行為責任を認められなかつたからであろう。

大審院は、なぜか不真正連帯という言葉を避けているが、連帯債務と区別される各自の全額単独責任をやはり認めている。ただ、次に掲げる事例は二つとも、一人に直接の不法行為責任が成立するとともに他に法定の全額賠償責任が成立し、それらが競合的に併列する場合に関するのであつて、契約によりかかる関係を生ずるとしたケースではない。

一つは、講談社（被上告会社）が平凡社（上告会社）およびその取締役X（上告人）に対し著作権侵害を理由として損害賠償を請求した事件であつて、両名の責任は肯定されたが、原判決が各自支払うべき旨を命じたのに対する上告をめぐつて、連帯債務にあらざる全額単独責任が認められている。上告理由は、「民法七一九条ニ依レバ各自連帯シテ損害ヲ賠償スベキ場合ハ数人ガ共同シテ不法行為ヲ為シタル場合ニ限リ、本件ノ如クXガ上告会社ノ執行機関タル取締役トシテ為シタル行為ハ……不法行為ナリトスルモ、Xガ上告会社ト各自連帯シテ賠償スベキ性質ノモアラズ（ママ）」ほか一点を挙げて、共同不法行為者でない以上連帯責任を負わないと主張。この上告は、不法行為にあつては七一九条に該当する場合でなければ全額単独責任を生じない、という考え方が前提となつているが、大審院は次のように説示して上告を棄却している。

【98】「……理事ハ一般ノ規定ニ従ヒ個人トシテ法人ト共ニ均シク損害賠償ノ責ヲ負フベキモノト解スルヲ相当トス。然リ而シテ叙上ノ場合ニ於テ理事及法人ハ夫々損害額全部ニ付賠償スルノ責アルガ故ニ各自ニ夫々全額ノ支払ヲ命ズベク、而シテ原判決ハ上告人ニ連帯負担ヲ命ジタルニ非ズシテ各自ニ全額負担ノ責アル旨ヲ判示シタルコト原判文上明ナレバ、原判決ニ所論ノ違法ナク論旨採ルニ足ラズ」（大判昭七・五・二七民集一一・一〇六九）（川島・判民八五事件）。

もう一つは、使用者Y（被上告人）の賠償責任と被用者A（訴外）の賠償責任との関係であって、Aの時効完成によってYも免責されるとした原判決を破棄するにあたり、連帯にあらざる全額単独責任およびその効果が問題とされている。すなわち、被害者Xの上告理由中、ここでの問題に関する部分は次のようである。「AノXニ対スル債務トYノXニ対スル債務トハ重畳的債務関係ニ在リト謂フベキナリ。元来重畳的債務関係ニ在リテハ同一目的ノ為ニ両債務成立スルコト連帯債務関係ニ似タレドモ、各債務ハ根本的ニ独立ニシテ……一ノ債務ガ時効完成ニ因リ消滅シタル場合ニ於テハ此ノ消滅原因ハ他債務ニ影響アルベキ道理ナシ」と。これは全面的に容れられる。

【99】「民法七一五条ニ依リ使用者ニ於テ被用者ガ事業ノ執行ニ付第三者ニ加ヘタル損害ヲ賠償スベキ債務ト、被用者ガ同法七〇九条ニ依リ自ラ負担スル損害賠償債務トハ別個ノ債務ニシテ連帯債務ニ非ズ。唯被害者ハ被用者使用者ノ何レニ対シテモ損害ノ賠償ヲ求メ得ル関係上、其ノ内一人ノ賠償債務履行ニ依リ両者ノ債務ノ消滅ヲ来スニ過ギズシテ、被用者ノ債務ニ付消滅時効完成スルモ之ガ為ニ使用者ノ債務ニ影響セズ、又使用者ノ債務ノ消滅時効期間ハ之ト相関スルコトナク別個ニ進行スルモノト做サザルヲ得ズ」（大判昭一二・六・三〇民集一六・一二八五——より詳しくは乾・使用者の賠償責任（本叢書民法4）【82】）（川島・判民八九事件）。

六 訴訟をめぐる事例

一 訴訟費用

訴訟費用は、利息と同じく従たる債務とみられている。そこで、(1)まず主たる請求について平分弁済が認められたときにはどうなるか、(2)次に主たる債務が連帯となつたときにはどうなるか、が問題となる。もつとも、これらに関する争いは、ごく初期の大審院にみられるだけであつて、その後は問題となつたことがない。

まず(1)の事例について。上告理由は、「原判決ハ『訴訟費用ハ第一審第二審共被控訴人ノ負担トス』ト云フモ……平分シテ負担スベキカ将タ連帯ニテ負担スベキカ明了ヲ欠ク」と主張。これに対し、

【100】「裁判所ガ訴訟費用ノ如キ性質上分割スルコトヲ得ベキモノニ付単純ニ二人以上ノ当事者ニ其負担ヲ命ジタルトキハ、其当事者ハ之ヲ平分シテ各自其一部ヲ負担スルヲ通例ト為スノミナラズ、本件ニ於テ原院ハ主タル請求ニ付テ上告人等ニ平分ノ弁済ヲ命ジタルガ故ニ、之ニ附帯スル訴訟費用ノ請求ニ付キテモ上告人等ニ平分ノ負担ヲ命ジタルモノト解釈スルヲ相当ト為サザルヲ得ズ」（大判明三五・一一・一一民録八・一〇・八五）。

(2)については、共同訴訟人の訴訟費用平等負担を定める民事訴訟法(旧)八〇条（現九三条参照）と関連して、連帯負担が争われている。すなわち、【101】では、原審が理由を附さずに連帯負担を命じた第一審判決を支持したため、後者を破棄しなかつたのは違法と上告されており、【102】では、右条文があるのに連帯負担を命じた原判決は違法と上告されている。いずれも棄却。

【101】「訴訟費用ハ債権ノ行使ニ因リテ生ズル費用ナルヲ以テ当事者間ニ在リテハ利息ト均シク附従ノ債務ニ外ナラズ。従テ連帯債務ニ在リテハ債務者ハ債権者ニ対シテ生ジタル訴訟費用ニ付テモ亦根本ノ債務ト均シク連帯ノ義務アルベキコトハ必至ノ理ナリ。故ニ本論旨ハ上告ノ理由トナラズ」（大判明三六・二・一民録九・一六六）。

【102】「主タル債務ニ付テ連帯ノ義務アル者ハ之ニ附随スル債務ニ付テモ亦連帯ノ義務アルコトハ連帯債務ノ効力ナレバ、連帯債務者ハ訴訟費用ニ付テ連帯ノ義務アルコト勿論ナリ。然レバ則チ本件ハ訴訟費用ニ付共同訴訟人ノ連帯義務ヲ生ズル場合ニ外ナラザルコト自明ナルヲ以テ、原判決ハ民事訴訟法(旧)八〇条ノ規定ニ違背シタルモノト云フヲ得ズ」（大判明三八・五・一一民録一一・六五六）。

二　一事不再理と連帯債務

まず、X（上告人）を連帯債務者として提起した前訴が連帯債務者でないという理由で却下された場合、Xを保証債務者として訴求する後訴は一事不再理に抵触するか——。原審は抵触しないとしたので、Xは「連帯債務ニアラズトノ確定判決アリタル以上ハ、之レヨリ程度ノ低キ保証債務ハ当然右確定判決ニ包含セラルルモノ」と上告したが、次のごとく棄却。

【103】「当事者ノ前訴ハXヲ以テ連帯債務者トシテ提起シタルモノニシテ連帯債務者ニ非ザルノ理由ヲ以テ其請求ヲ却下セラレタリトスレバ、Xガ連帯債務者ニ非ザルコトハ判決主文ニ包含スルモノトシテ判決ノ確定力之ニ及ブベキモ、連帯債務者タルト保証債務者タルトハ其法律関係ヲ異ニシ前者ニ非ザルコトハ後者ニ非ザルコトヲ包含セザレバ、前判決ハXノ保証債務者ニ非ザル点ニマデ其確定力ヲ及ボスモノニ非ズ。然ラバXヲ保証債務者ナリトシテ其債務ノ履行ヲ請求スル本訴ハ前訴ト同ジク甲第一号証ノ元利金ヲ以テ請求ノ目的物トナスト雖モ、之ガ為メ本訴ヲ以テ前訴判決ノ確定力ヲ無資シタルモノト謂フヲ得ズ。故ニ本訴ハ一事不再理ノ原則ニ違背スル所ナキモノトス」（大判明四二・一〇・三〇民録一五・八一三）。

もう一つの事例は、債務の履行を求める前訴において連帯債務として主張しなかった場合、その判決確定後の後訴において連帯債務である旨の主張が許されるか否か、に関する最高裁判所の破棄判決である。

事案の詳細は省略するが、被上告人Yら二名の先代は前訴において上告人Xおよび上告外A（第一、二審ではXの共同当事者）に対し四十五万円の債権を主張しその履行を求めた。ところが、その際に連帯債務である点を何ら主張しなかつたため、裁判所は分割債務の主張だと解して四十五万円（各自二十二万五千円）の支払を命じ、この判決は確定するにいたつた。Yらの先代は、その結果弁済を受けた二十二万五千円の残りについて、右の訴（＝前訴）では連帯債務額の二分の一の支払を求めたのであるからとして、本訴でその連帯支払の請求に及んだ。原審は、前訴の既判力は右連帯債務額の二分の一にとどまるから本訴は理由ありとして、四十五万円（これは原審の誤りで、Yらの先代の請求は二十二万五千円）の支払を命じた。そこでXは、(1)前訴と本訴は同一訴訟であつて前訴の既判力が及ぶ、(2)Y側はすでに前訴で債権の全部を請求しており、一部請求をしたものではない、(3)二個の判決で無条件に四十五万円の支払義務が認められると、XAは合計九十万円の債務を負わされるが、これは連帯を超える違法がある、と上告。最高裁はこれを容れて次のごとく破棄自判（原審が四十五万円の支払を命じたのも誤解だとして訂正）。

【104】「思うに、本来可分給付の性質を有する金銭債務の債務者が数人ある場合、その債務が分割債務かまたは連帯債務かは、もとより二者択一の関係にあるが、債権者が数人の債務者に対して金銭債務の履行を訴求する場合、連帯債務たる事実関係を何ら主張しないときは、これを分割債務の主張と解すべきである。

そして、債権者が分割債務を主張して一旦確定判決を得たときは、更に別訴をもつて同一債権関係につきこれを連帯債務である旨主張することは、前訴判決の既判力に牴触し、許されないところとしなければならない。

……そしてX等が四十五万円の連帯債務を負担した事実は原判決の確定するところであるから、前訴判決が確定した各自二十二万五千円の債務は、その金額のみに着目すれば、あたかも四十五万円の債務の一部にすぎないかの観もないではない。しかしながら、Y等先代は、前訴において、分割債務たる四十五万円の債権を主張し、X等に対し各自二十二万五千円の支払を求めたのであつて、連帯債務たる四十五万円の債権を主張してその内の二十二万五千円の部分（連帯債務）につき履行を求めたものでないことは疑がないから、前訴請求をもつて本訴の訴訟物たる四十五万円の連帯債務の一部請求と解することはできない。のみならず……Y等先代は、前訴において、X等に対する前記四十五万円の請求を訴訟物の全部として訴求したものであることをうかがうに難くないから、その請求の全部につき勝訴の確定判決を得た後において、今さら右請求が訴訟物の一部の請求にすぎなかつた旨を主張することは、とうてい許されないものと解すべきである」（最判昭三二・六・七民集一一・六・九四八——詳しくは柚木編・最高裁判所民法判例要録（追補1）【二八六】）（山口・民商三六巻六号八二九頁）。

山口評釈は、既判力の問題については、前訴の請求と本訴の請求が、主体・給付内容・発生事実のいずれについても同一だからとして、判旨に賛成される。が、判例集が右引用文の最後の部分を判決要旨第二点として掲げたことに対しては、結局既判力の牴触の問題に帰するから不要だと注意されている。

ところで、この【104】はいろいろに受けとめられている。まず、民法学者の側からは、於保教授が、民法四三二条を制限する事例として本判決を引用しておられる（於保・債総二〇四頁註一参照）。次に、確定判決があつた後に残額を請求できるかどうかは、本件のような債権者勝訴後の場合についても、民事訴訟法学上議論が存するようであるが（兼子・確定判決後の残額請求（民事法研究I）四〇九頁以下参照）、三ケ月教授は、【104】によつて判例は「既判力の双面性」を認めるにいたつた、とみておられる（三ケ月・民事訴訟法一二三頁参照）。

三 その他

判例の一つは、上告人ほか一名が金銭を被上告人から連帯受寄した事案のようであるが、係争債務が連帯である旨の主張をなす要件についてである。原審が第一審において連帯主張の申立があるとしたのに対し、本件では第二審で請求の原因を変更したものだから、民訴法（旧）二二二条三項の手続を無視した原判決は違法と上告。しかし、

【105】「本訴ニ於ケル債務ノ連帯ヲ主張スル陳述ノ如キハ民事訴訟法（旧）二二二条ニ所謂申立ニアラズシテ其次条ニ所謂重要ナル陳述タルニ過ギズ。而シテ這般ノ陳述ハ調書若クハ其附録トシテ添附スベキ為メ差出シタル書面ニ依リテ之ヲ明確ニスレバ足ルモノニシテ、必ズシモ書面ヲ差出シテ其陳述ヲ為スヲ要セザルコトハ前掲法条ノ規定ニ依リテ明ナリ。……本論旨ハ失当ニシテ到底上告ノ理由トナラズ」（大判明三九・二・二四民録一二・二七四）。

次は、裁判所が、債務負担を証する証書（本件甲第一号証）の成立は認めたが、連帯だとする債権者側の主張はこれを排斥する場合には、どういう判決をしなければならないかに関してである。被上告人Yほか一名は、借主が期日に弁済しないときには「之ヲ引受ケ弁済ス」る旨を債権者X（上告人）に対して約したが、その責任をめぐつて争いとなつた事件らしい。原審は「Y外二名ガ連帯シテXヨリ金員ヲ借受ケタリトノ事実ハ之ヲ確認スルコト能ハザル」ものという理由で、Xの連帯請求の全部を

排斥した。そこでXは、理由不備だとして上告するが、次のごとくこれは容れられて、原判決は破棄差戻となる。すなわち、

【106】「凡ソ同借人ノ一人ガ期日ニ至リ弁済セザル場合ニ他ノ者ニ於テ引受ケ弁済スベキコトハ必ズシモ保証債務ヲ約シタルモノトノミ謂フコトヲ得ズ、連帯債務ノ効力トシテ亦然ルベキガ故ニ、原院ガ本訴XノYニ対スル外二名トノ連帯請求ヲ排斥センニハYノ負担セル債務ガ連帯ニ非ザル理由ヲ判示セザル可カラザルノミナラズ、……Yノ抗弁ハYハXヨリ一金モ借受ケタルコトナシ、仮ニY外二名ニテ借受ケタリトスルモ連帯シタルコトナキヲ以テ三分ノ一ノ外弁済ノ義務ナシト云フニ在リ。左レバYガ連帯債務ヲ負担セザルコト原判決ノ認ムル如シトセバ甲第一号証ノ正当ニ成立シタルコトハ原判決ノ認ムル所ナルヲ以テ、Xノ請求中三分ノ一ハYニ対シ弁済ヲ命ゼザル可カラズ」（大判明四〇・九・三〇民録一三・九一九）。

さらに、上告人X両名がY（被上告人）に対して債務を負う場合において、判決理由では連帯債務を認めるようでありながら主文では単に支払えとする判決を、違法だとする破棄判例がある。すなわち、

【107】「Yは原審に於てXに対し連帯して金百八円余を支払ふべき旨の一定の申立を為したること明かなり。而して原判決……はXに対する連帯債務を認定したるものの如くなりと雖も、原判決の主文には「XはYに対して……支払ふべし」と記載ありてX両名に対し此金額を平分して支払ふべきことを言渡したりと解し得べきを以て、Xに対する連帯債務を認定せざりし者の如し。然らば即ち原判決の趣旨は前後何れにあるや之を知るに由なき者にして、当事者の主張に対し明確なる判断を与へざる不法あり」（大判大六・二・一七新聞一二五六・二〇）。

最高裁判所判例

控訴院判例

高等裁判所判例

地方裁判所判例

区裁判所判例

判　例　索　引

大審院判例

著者紹介

椿(つばき)　寿(とし)　夫(お)　関西学院大学助教授

総合判例研究叢書　民　法(16)

昭和35年12月10日　初版第1刷印刷
昭和35年12月15日　初版第1刷発行

著作者　椿　寿　夫
発行者　江　草　四　郎
印刷者　田　中　昭　三

東京都千代田区神田神保町2ノ17
発行所　株式会社　有　斐　閣
電話九段(331)0323・0344
振替口座東京370番

印刷・理想社印刷所　製本・稲村製本所

総合判例研究叢書 民法(16)
(オンデマンド版)

2013年1月15日　発行

著　者　　椿　寿夫
発行者　　江草　貞治
発行所　　株式会社 有斐閣
〒101-0051　東京都千代田区神田神保町2-17
TEL　03(3264)1314(編集)　03(3265)6811(営業)
URL　http://www.yuhikaku.co.jp/

印刷・製本　株式会社 デジタルパブリッシングサービス
URL　http://www.d-pub.co.jp/

AG469

ISBN4-641-90995-4　Printed in Japan